PERDRE SAINEMENT
10 LIVRES EN **4** SEMAINES

KARINE LAROSE

M. SC. KINANTHROPOLOGIE

PERDRE SAINEMENT
10 LIVRES EN 4 SEMAINES

COLLABORATION
CAROLINE ALLEN
DT. P. NUTRITIONNISTE

TRÉCARRÉ
Une compagnie de Quebecor Media

Catalogage avant publication de Bibliothèque et Archives nationales du Québec et Bibliothèque et Archives Canada

Larose, Karine, 1977-

      10-4 : perdre sainement 10 livres en 4 semaines
      ISBN 978-2-89568-500-5
        1. Perte de poids. 2. Obésité - Traitement. 3. Régimes amaigrissants - Menus. 4. Exercices amaigrissants.
I. Allen, Caroline, 1980- . II. Titre. III. Titre: Dix-quatre.

RM222.2.L37 2011   613.7'12   C2010-942639-8

Édition : Lison Lescarbeau
Direction littéraire : Julie Simard
Révision linguistique : Johanne Viel
Correction d'épreuves : Céline Bouchard
Couverture et grille graphique intérieure : Chantal Boyer
Mise en pages : Chantal Boyer et Hamid Aittoures
Photographies de couverture : Jacques Migneault
Photographies des participants : Jacques Migneault (pages 8, 10, 12, 14, 18-31, 37, 44, 47, 48, 51-62, 68, 76, 80, 83, 85-94, 101, 107, 115, 119-131, 137, 142, 143, 149, 152-164, 170, 174-177, 184, 187, 188, 190-201, 203-206, 211, 212, 214, 216)
Photographies des recettes : Randal Lyons (pages 63, 66, 67, 69, 71, 75, 77, 78, 82, 95, 97, 99, 100, 103-106, 109, 114, 116, 118, 132, 134, 139, 141, 144, 146, 151, 166, 168, 171, 173, 181, 182, 186)
Photographie : Stéphanie Lefebvre (page 4)
Stylisme culinaire : Amélie Bédard
Collaboration à la production : Sarah Scott
Stagiaire à l'édition : Raeven Geist-Deschamps

Remerciements
Nous reconnaissons l'aide financière du gouvernement du Canada par l'entremise du Fonds du livre du Canada pour nos activités d'édition. Gouvernement du Québec – Programme de crédit d'impôt pour l'édition de livres – gestion SODEC.

Les Éditions du Trécarré
Groupe Librex inc.
Une compagnie de Quebecor Media
La Tourelle
1055, boul. René-Lévesque Est
Bureau 800
Montréal (Québec) H2L 4S5
Tél. : 514 849-5259
Téléc. : 514 849-1388
www.edtrecarre.com

Dépôt légal – Bibliothèque et Archives nationales du Québec et Bibliothèque et Archives Canada, 2011

ISBN 978-2-89568-500-5

Distribution au Canada
Messageries ADP
2315, rue de la Province
Longueuil (Québec) J4G 1G4
Tél. : 450 640-1234
Sans frais : 1 800 771-3022
www.messageries-adp.com

Diffusion hors Canada
Interforum
Immeuble Paryseine
3, allée de la Seine
F-94854 Ivry-sur-Seine Cedex
Tél. : 33 (0) 1 49 59 10 10
www.interforum.fr

À l'équipe des professionnels de Nautilus Plus, pour votre intégrité
et votre engagement à améliorer la santé des Québécois.

SOMMAIRE

PRÉFACE

LE SURPLUS DE POIDS qui est associé à la consommation excessive de calories et à la sédentarité est devenu au cours des dernières décennies un des principaux problèmes de santé auxquels doit faire face notre société. Deux Canadiens sur trois présentent un excédent de poids, et d'innombrables études scientifiques indiquent que ce surpoids est un élément déclencheur de toutes les maladies chroniques qui touchent de plein fouet la population, que ce soit le diabète de type 2, les maladies cardiovasculaires, plusieurs types de cancers ou encore la maladie d'Alzheimer. Même si la communauté scientifique et médicale met tout en œuvre pour découvrir de nouveaux médicaments destinés à guérir ces maladies, il ne faut pas se leurrer : la meilleure façon de réduire l'impact néfaste des maladies chroniques et d'améliorer la santé de la population demeure la prévention. Tout comme la diminution du tabagisme a un impact à moyen et à long terme sur l'incidence du cancer du poumon, une réduction de la masse corporelle aura des répercussions extraordinaires sur l'incidence des maladies chroniques et permettra de sauver d'innombrables personnes d'une mort prématurée ou d'une vieillesse accablée de maladies incapacitantes.

Au cours des dernières années, on ne compte plus le nombre de régimes amaigrissants « miracles » qui font miroiter la possibilité de perdre du poids sans modifier outre mesure nos habitudes de vie. La très grande majorité de ces régimes sont pourtant inefficaces, soit parce qu'ils promettent des pertes de poids irréalistes, voire dangereuses pour la santé, en proposant une diminution trop draconienne de l'apport calorique, soit parce qu'ils sont farfelus, éliminant complètement certains groupes alimentaires. Il n'y a pas de méthode miracle pour perdre du poids ; il s'agit au contraire d'un processus ardu, qui requiert des modifications fondamentales de nos habitudes.

Comme le montre de façon admirable ce livre, la combinaison de l'exercice physique intense et d'une alimentation saine représente le meilleur moyen de contrôler son poids. Bouger fait beaucoup plus que brûler des calories : l'exercice provoque la libération de molécules dans le cerveau qui augmentent la satiété et réduisent l'appétit. Il est également une source de molécules anti-inflammatoires qui empêchent le développement des maladies chroniques.

Karine Larose nous offre ici un ouvrage de référence remarquable, qui, loin des recettes magiques, nous permet une prise en charge fonctionnelle de notre santé. Maintenir ou retrouver un poids santé exige des efforts soutenus. Se faire aider par des spécialistes de l'activité physique et de la nutrition est une des façons les plus sûres de rentabiliser nos efforts. Bouger, bien manger et, évidemment, ne pas fumer, voilà la véritable manière de préserver ou de retrouver sa santé.

RICHARD BÉLIVEAU

INTRODUCTION

Qui n'a pas 10 livres à perdre ? Pour les uns, l'excédent de poids fait obstacle à l'atteinte d'un poids santé et à l'obtention de la silhouette souhaitée. Pour d'autres, le fait de perdre 10 livres constitue l'amorce d'une perte de poids plus importante.

Combien de fois ai-je entendu dire : « J'aimerais me débarrasser de ce satané surplus de poids, quelle est la meilleure façon pour y arriver ? » Que ce soit lors d'entrevues à la télévision et à la radio, ou encore pour des articles dans les revues et les journaux, on m'a souvent demandé mon point de vue. À chaque occasion, je sentais qu'on voulait en savoir davantage sur cette question.

Avec ce livre, j'ai le plaisir de vous révéler la meilleure façon de perdre du poids sainement et de façon permanente ! J'aborderai en détail les principes physiologiques du Programme 10-4 développés par nos nutritionnistes, dont Caroline Allen, avec qui j'ai travaillé étroitement pour la rédaction de ce livre, et nos spécialistes de la condition physique.

Afin de mieux vous accompagner dans cette démarche, vous serez témoin du cheminement de six « vraies » personnes qui ont suivi le programme. Vous pourrez vous inspirer de leur expérience tout au long de votre propre démarche et constaterez qu'il est possible de perdre 10 livres rapidement et sainement à condition d'y mettre un peu de discipline.

Si vous êtes inquiet quant au taux d'échec généralement associé à un changement d'habitudes, je me suis fait un devoir de vous faire partager mes trouvailles réunies dans le cadre de mon mémoire de maîtrise sur la motivation à l'exercice, et aussi lors de programmes de transformation physique que j'ai supervisés au cours des années. Je veux donc que vous soyez rassuré sur votre capacité à accomplir avec succès le Programme 10-4.

Vous verrez que, dès que vous commencerez à récolter les fruits de vos efforts, votre motivation sera renforcée et votre enthousiasme s'en trouvera accru. Avec ce livre, vous avez entre les mains ce qui se rapproche le plus de nos tandems composés d'un entraîneur personnel et d'une nutritionniste pour vous encadrer quotidiennement dans votre démarche.

Voilà, il ne vous reste plus qu'à vous engager officiellement et à aller de l'avant, en suivant attentivement les recommandations formulées dans cet ouvrage.

Bon 10-4 !
Je vous attends sur la ligne de départ !

LE PLAN D'ACTION

Oui, c'est tout à fait possible de perdre 10 livres en 4 semaines ! Ce fameux programme, nommé simplement « 10-4 » et développé par des experts de la nutrition et de l'activité physique, a permis à de nombreuses personnes de perdre du poids. Avec ce livre, vous y arriverez vous aussi ! Notre formule gagnante a été ajustée minutieusement pour générer les meilleurs résultats possibles en seulement 4 semaines. Tout ce qu'il faut y ajouter, c'est votre volonté ! Évidemment, l'effort et la discipline doivent être au rendez-vous durant les vingt-huit prochains jours afin d'atteindre votre poids idéal ou de vous en rapprocher.

PERDRE SAINEMENT 10 LIVRES EN 4 SEMAINES

Rassurez-vous, le Programme 10-4, une solution clés en main, offre tout ce dont vous aurez besoin pour y parvenir. En plus de vous fournir un plan alimentaire et un plan d'entraînement, ce programme vous enseigne comment perdre du poids sainement, tout en vous offrant des conseils judicieux, des trucs de nos professionnels et les témoignages de six participants au Programme 10-4. Leurs anecdotes inspirantes vous accompagneront tout au long de votre démarche.

Soyons francs : perdre du poids n'est pas facile. Est-ce que vous vous sentez un peu paresseux, réticent à l'idée de vous priver de petites gâteries ? Préféreriez-vous ne pas avoir à faire d'efforts ? Bien sûr, tout le monde voudrait atteindre son poids santé en claquant des doigts. Je comprends tout cela car, au cours des dernières années, j'ai eu le privilège de participer en tant que spécialiste en conditionnement physique à des séries télévisées visant une transformation physique rapide. Chaque année, la quantité phénoménale d'inscriptions reçues montrait clairement que le désir de perdre du poids est partagé par plusieurs.

Lors des entrevues de sélection pour ces transformations, j'ai pris conscience à quel point les tentatives pour perdre du poids étaient généralement aussi nombreuses qu'inefficaces. Les gens ont recours à des diètes sans efforts qui font miroiter des résultats spectaculaires et quasi instantanés. Ces régimes miracles se soldent invariablement par des échecs, et les adeptes de ceux-ci en viennent à croire qu'ils ont un problème de santé ou encore qu'un facteur génétique les empêche de perdre les livres en trop (réf. 1*). Toutes ces rencontres m'ont fait comprendre à quel point les gens ont besoin d'une option sensée : c'est-à-dire une expérience saine et efficace de perte de poids encadrée par des experts. C'est d'ailleurs l'une des raisons qui ont motivé la rédaction de ce livre. En offrant à tous une solution optimale et parfaitement saine pour perdre du poids, le Programme 10-4 entraîne des résultats concluants.

***

* Ces références renvoient à la bibliographie en fin d'ouvrage.

Pourquoi perdre 10 livres ?

Vous avez peut-être l'impression que votre surplus de poids est une réalité immuable. Néanmoins, il faut lutter contre les facteurs « obésogènes » qui favorisent la prise de poids, comme la sédentarité et l'abondance alimentaire. Que vous ayez seulement 10 livres en trop ou plus de 40 ou 60 livres à perdre, le fait de diminuer votre poids corporel de 10 livres peut réduire la tension artérielle et le taux de « mauvais » cholestérol (LDL) dans le sang, ainsi que la glycémie à jeun chez les diabétiques. Du coup, le risque de mortalité associé au diabète et au cancer diminue (réf. 2, 3). Le Programme 10-4 vous aidera à mettre en pratique au quotidien des habitudes de vie saines comme bouger et bien vous alimenter. Vous constaterez une augmentation de votre niveau d'énergie, une amélioration de votre humeur et de la qualité de votre sommeil (réf. 4). Autrement dit, avant même d'atteindre votre objectif, vous commencerez déjà à en ressentir les bienfaits. Ce programme vous offre la possibilité de découvrir à quel point une saine alimentation peut avoir bon goût et combien l'activité physique peut vous faire du bien. Mon souhait le plus cher est que, après avoir perdu 10 livres, vous conserviez vos nouvelles habitudes afin d'améliorer votre santé à long terme.

Faites-le pour votre santé !

Sachez que vous n'êtes pas seul à vouloir perdre du poids. Les statistiques démontrent un sérieux problème de surplus de poids au Canada. Au cours des trente dernières années, il y a eu dans la population une augmentation des taux d'embonpoint et d'obésité et une baisse notable de la pratique de l'activité physique (réf. 5). Plus de la moitié des adultes canadiens présentent une surcharge pondérale, et près du quart d'entre eux sont obèses (réf. 5). Ce n'est pas tout, car pas moins d'un million de Canadiens souffrent aujourd'hui d'obésité « morbide ». Ces données relatives à l'augmentation du surpoids inquiètent les autorités médicales et les agences de santé publique, sans parler du risque d'hypothéquer la santé des générations à venir. En effet, le fardeau économique lié à l'embonpoint se chiffre en milliards de dollars (réf. 6). Vous l'ignorez peut-être, mais votre perte de poids contribuera à assainir les finances publiques tout en améliorant votre santé et votre qualité de vie.

Le mode de vie a une influence considérable sur l'apparition de maladies chroniques comme le cancer, les maladies cardiovasculaires, le diabète de type 2 et l'Alzheimer. Contrairement à ce que l'on pourrait croire, la génétique et le vieillissement ne sont responsables que d'une infime partie du développement de ces maladies (réf. 7). La sédentarité, les mauvaises habitudes alimentaires et le surplus de poids expliqueraient en majeure partie l'apparition de ces problèmes de santé (réf. 7). Puisque ces maladies chroniques représentent les principales causes de décès au Canada, il est encourageant de constater que l'adoption de comportements plus sains permettrait de retarder de plusieurs années, jusqu'à vingt-cinq ans, le développement de celles-ci (voir tableau 1) (réf. 8).

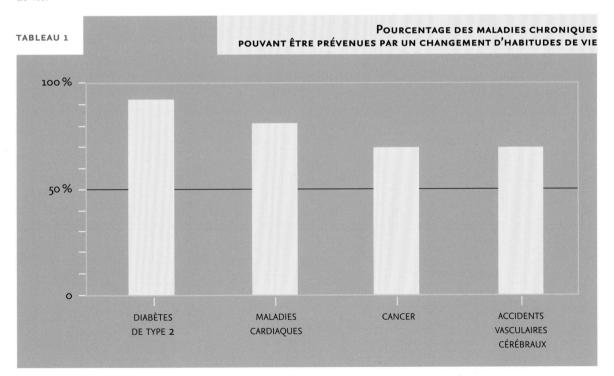

TABLEAU 1

POURCENTAGE DES MALADIES CHRONIQUES POUVANT ÊTRE PRÉVENUES PAR UN CHANGEMENT D'HABITUDES DE VIE

Selon le réputé chercheur Richard Béliveau, il existe cinq règles d'or qui permettent de prévenir l'apparition de ces maladies chroniques (voir tableau 2). Le fait de suivre ces cinq règles au quotidien diminue le risque d'être touché par une maladie chronique.

Ces règles d'or sont intégrées dans ce programme. D'abord, vous devrez cesser de fumer pour le prochain mois (et après, évidemment!). Visez aussi à maintenir un poids santé avec un IMC entre 19 et 24,9 (voir tableau 3). Ensuite, comme les règles 3 et 5 l'indiquent, l'effet des habitudes alimentaires sur la santé est indéniable. Ce que nous nous mettons sous la dent peut grandement influencer notre bien-être physique (et mental). Ainsi, le Programme 10-4 prône une diminution de la consommation de produits raffinés, privilégiant ceux qui sont de source naturelle. En intégrant ces nouvelles habitudes, vous vous rapprocherez de votre poids santé en plus de multiplier vos chances de vivre plus longtemps et en meilleure santé.

Quant à la quatrième règle d'or, elle confirme les répercussions positives de l'augmentation du niveau d'activité physique quotidien sur l'organisme. À l'inverse, la sédentarité aurait les mêmes effets néfastes sur la santé que l'obésité, c'est-à-dire l'apparition précoce de maladies cardiovasculaires, de certains types de cancers, du diabète de type 2 et de maladies dégénératives comme l'Alzheimer.

TABLEAU 2   **LES CINQ RÈGLES D'OR POUR PRÉVENIR LES MALADIES**

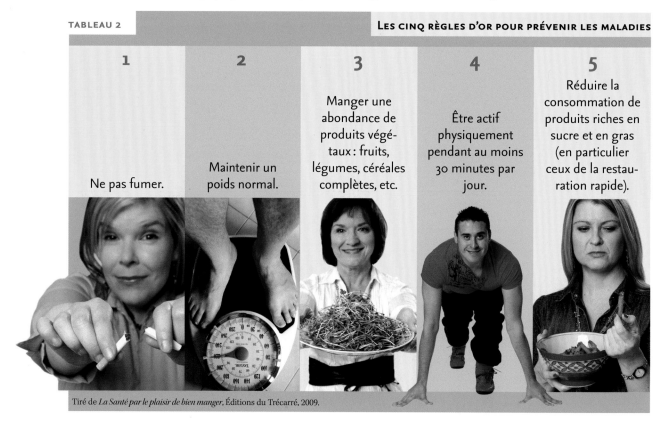

1	2	3	4	5
Ne pas fumer.	Maintenir un poids normal.	Manger une abondance de produits végétaux : fruits, légumes, céréales complètes, etc.	Être actif physiquement pendant au moins 30 minutes par jour.	Réduire la consommation de produits riches en sucre et en gras (en particulier ceux de la restauration rapide).

Tiré de *La Santé par le plaisir de bien manger*, Éditions du Trécarré, 2009.

CALCUL DE L'INDICE DE MASSE CORPORELLE

Afin de déterminer votre poids santé et le risque de développer des problèmes de santé liés à un surplus de poids, calculez votre indice de masse corporelle (IMC) à l'aide de la formule suivante :

IMC = poids en kilogrammes (kg) ÷ taille en mètres au carré (m²)

Bien qu'il ne constitue pas à lui seul une preuve de surpoids, l'IMC se révèle un bon indicateur du niveau de santé global. Prenez note que la notion d'IMC ne s'applique pas aux enfants, aux adolescents et aux personnes de plus de 65 ans, ni aux femmes enceintes ou à celles qui allaitent (réf. 10).

TABLEAU 3	RÉSULTAT D'IMC
Risques de développer des problèmes de santé	
Risque accru de souffrir de carences nutritionnelles, d'ostéoporose, etc.	< 18,5 : poids insuffisant
Risque moindre de problèmes de santé *	19 à 24,9 : poids santé
Risque accru de problèmes de santé	25 à 29,9 : embonpoint
Risque élevé de souffrir d'hypertension, de diabète, de cholestérol, de certains cancers, etc.	30 à 39,9 : obésité
Risque extrêmement élevé de souffrir de problèmes de santé liés au surplus de poids	40 : obésité morbide (réf. 10)

* Notez que, selon les recommandations du Fonds mondial de recherche contre le cancer, ce serait plutôt un IMC entre 21 et 23 qui diminuerait le plus vos risques de développer un cancer.

Ainsi, même si votre surplus de poids n'est pas significatif, le simple fait de demeurer inactif vous expose au risque de développer diverses maladies (réf. 10). C'est la propriété anti-inflammatoire de l'exercice quotidien qui contribue le plus à la prévention. Sans exercice, la présence de molécules inflammatoires peut nuire au fonctionnement de plusieurs organes et prédisposer au développement de cancers et autres maladies chroniques. Ce programme vise l'intégration de l'activité physique dans votre vie en raison de ses puissants effets régénérateurs !

La perte de poids doit être encadrée par une stratégie efficace pour améliorer non seulement la silhouette, mais aussi la santé. Heureusement, notre destin n'est pas tracé dès la naissance, et nous avons la possibilité de jouer un rôle dans notre qualité de vie et notre espérance de vie en bonne santé. Je souhaite que cette prise de conscience puisse vous motiver à adopter de saines habitudes, à l'instar des six participants présentés dans ce guide. Laissez-moi le plaisir de vous les présenter...

À LA RENCONTRE DE CAMILLA, PIERRE, DANIEL, VÉRONIQUE, JOSÉE ET GEORGES

POUR LA RÉALISATION DE CE LIVRE, SIX SYMPATHIQUES PARTICIPANTS SE SONT LANCÉS DANS CETTE AVENTURE DE PERTE DE POIDS AVEC DÉTERMINATION. RÉFÉREZ-VOUS À LEURS PROFILS POUR MIEUX ORIENTER VOTRE PROPRE DÉMARCHE. D'UNE SEMAINE À L'AUTRE, INSPIREZ-VOUS DE LEURS TÉMOIGNAGES ET DE LEURS EXPÉRIENCES. COMME VOUS LE CONSTATEREZ, MALGRÉ LE FAIT QU'ILS SOIENT TOUS DIFFÉRENTS, ILS SONT UNIS PAR LEUR DÉSIR DE PERDRE DU POIDS, DE REMODELER LEUR CORPS, DE TRANSFORMER LEURS HABITUDES ET D'INVESTIR DANS LEUR SANTÉ.

J'AI CONFIANCE EN MA VOLONTÉ D'Y PARVENIR.

Camilla avec son fils Philippe, qui est aussi entraîneur personnel chez Nautilus Plus.

Occupation : retraitée.

Âge : 60 ans.

Le défi de Camilla

Poids initial : 145 livres.

Taille : 5'2".

Indice de masse corporelle : 26.

Circonférence de la taille : 79 centimètres.

Pourcentage de gras : 31 %.

Poids perdu dans le passé : elle en est à sa première tentative de perte de poids.

Objectif de poids ultime : aucun. Elle serait déjà très heureuse de perdre 10 livres.

Portrait

Femme forte au tout début de la soixantaine, Camilla a fait carrière comme enseignante de français. Elle est de nature curieuse, s'adonne à des activités intellectuelles et est passionnée d'art. Quoiqu'elle souhaite vivre sa vie pleinement, elle sait qu'elle doit perdre du poids et prendre de bonnes habitudes pour se sentir plus jeune. Elle se rend compte qu'elle devra sortir de sa zone de confort pour réussir à abaisser son poids. Camilla a l'intention d'accomplir sa mission avec brio et de commencer à vivre (enfin !) une retraite incroyable.

Sa plus grande qualité : son sens de l'organisation.

Les difficultés à surmonter : confronter certaines de ses insécurités, comme l'idée de porter des vêtements moulants au gym, et modifier certaines habitudes alimentaires.

Sa crainte : ne pas réussir à se défaire de mauvaises habitudes ancrées depuis longtemps.

Son dada alimentaire : elle dit avoir une bonne fourchette.

La forme d'exercice à apprivoiser : l'exercice en salle de façon générale.

Ce qu'elle recherche dans le Programme 10-4 : être assidue et faire disparaître ses douleurs articulaires dans le haut du corps et aux genoux.

Sa motivation : elle accepte mal l'image que son miroir lui renvoie.

C'EST MATHÉMATIQUE, IL S'AGIT D'UNE SIMPLE RÉDUCTION DE MA MASSE CORPORELLE TOTALE.

DANIEL LAFOND
Avant qu'il soit trop tard

Occupation : ingénieur.
Âge : 52 ans.

LE DÉFI DE DANIEL
Poids initial : 250 livres.
Taille : 5'7 1/2".
Indice de masse corporelle : 38.
Circonférence de la taille : 126 centimètres.
Pourcentage de gras : 41 %.
Poids perdu dans le passé : il a perdu 10 livres durant les trois derniers mois.
Objectif de poids ultime : objectif réaliste de 225 livres et objectif idéal de 200 livres.

PORTRAIT
Ingénieur de formation, il se passionne pour les chiffres et les lois de la probabilité. Il a la chance d'être bien entouré de sa femme et de ses enfants, mais tente désespérément de reprendre le contrôle de ses habitudes de vie. Il s'est laissé aller pendant plusieurs années et sent l'urgence de se refaire une santé. Perfectionniste avoué, il compte s'engager à fond dans cette aventure et respecter le plan établi. Il compte réaliser tous ses objectifs et accumuler les réussites. Il visualise déjà la ligne d'arrivée…
Sa plus grande qualité : sa rigueur.
La difficulté à surmonter : les buffets lors des tournois de golf.
Sa crainte : atteindre un plateau où plus rien ne bougera.
Son dada alimentaire : il se qualifie de carnivore.
La forme d'exercice à apprivoiser : les exercices de souplesse.
Ce qu'il recherche dans le Programme 10-4 : les encouragements de ses pairs, le soutien d'un entraîneur personnel et d'une nutritionniste.
Sa motivation : son dernier bilan de santé indiquait que son âge corporel était de treize ans supérieur à son âge véritable (soit 65 ans !).

L'homme d'affaires qui veut être à son affaire

Occupation : entrepreneur.
Âge : 46 ans.

LE DÉFI DE PIERRE
Poids initial : 188 livres.
Taille : 5'8".
Indice de masse corporelle : 29.
Circonférence de la taille : 102 centimètres.
Pourcentage de gras : 29 %.
Poids perdu dans le passé : pas d'effort volontaire entrepris avant ce jour pour perdre du poids.
Objectif de poids ultime : peser 178 livres à la fin du Programme 10-4… et maintenir ce poids.

PORTRAIT
Dans la quarantaine, Pierre est marié et a deux enfants. Il s'épanouit dans sa vie personnelle et dans son travail. Il trouve néanmoins qu'il n'y a pas suffisamment d'heures dans une journée pour tout faire… Il a l'impression de toujours courir après le temps et il termine ses journées à bout de souffle. Il veut à tout prix perdre son ventre et retrouver sa taille de jeune homme. Sollicité de partout, cellulaire en main et portable jamais loin, il veut ralentir son rythme afin de goûter la vie et d'améliorer sa santé.
Sa plus grande qualité : sa vision à long terme.
La difficulté à surmonter : son horaire très chargé (il travaille six jours par semaine).
Sa crainte : ressentir de la fatigue et s'épuiser.
Son dada alimentaire : le chocolat… bien sûr !
La forme d'exercice à apprivoiser : s'entraîner dans un gym (c'est une première pour lui).
Ce qu'il recherche dans le Programme 10-4 : perdre les livres en trop et gagner en cardio.
Sa motivation : les signaux que son corps lui envoie (ses maux de dos et de genoux), qui ne sont pas très rassurants.

JE ME SENS COMME UN COUREUR QUI ATTEND LE DÉPART !

Pour se retrouver et chasser ses démons

Occupation : éducatrice spécialisée.
Âge : 31 ans.

LE DÉFI DE VÉRONIQUE
Poids initial : 247 livres.
Taille : 5'7".
Indice de masse corporelle : 39.
Circonférence de la taille : 99 centimètres.
Pourcentage de gras : 48 %.
Poids perdu dans le passé : elle a déjà réussi à perdre environ 15 livres.
Objectif de poids ultime : moins de 200 livres... un seuil psychologique à franchir.

PORTRAIT
Femme enjouée, elle avoue être une gourmande et une épicurienne. Mère de deux enfants en bas âge et mariée à l'homme de sa vie, elle veut affronter ses peurs afin de retrouver l'allure de « poulette » qu'elle avait avant de fonder sa famille. N'ayant pas peur du ridicule, elle est prête à tout pour chasser ses petits démons. Elle aime la cuisine et tout ce qui a trait à la nourriture, mais se prépare mentalement à dénicher d'autres sources de plaisir dans la vie. Véritable boîte à surprises, elle prévoit vivre toute une gamme d'émotions !
Sa plus grande qualité : sa franchise (avec elle-même et avec les autres).
La difficulté à surmonter : maintenir un bon niveau d'énergie.
Sa crainte : que ses hormones lui jouent des tours. « On ne sait jamais avec elles. »
Son dada alimentaire : les boissons gazeuses diètes, dont elle ne peut se passer.
La forme d'exercice à apprivoiser : le simulateur d'escaliers, ouf !
Ce qu'elle recherche dans le Programme 10-4 : réduire l'effet physique et psychologique des 60 livres accumulées au cours de deux grossesses consécutives.
Sa motivation : son formidable conjoint et son amie Julie, qui l'appelle tous les jours pour prendre de ses nouvelles.

JE VAIS RÉVEILLER DE VIEUX MUSCLES, MAIS C'EST CORRECT. IL FAUT CE QU'IL FAUT POUR OBTENIR DES RÉSULTATS !

JOSÉE GARCEAU
Bête sociale à la recherche d'équilibre

Occupation : enseignante au primaire.
Âge : 33 ans.

LE DÉFI DE JOSÉE
Poids initial : 176 livres.
Taille : 5'4".
Indice de masse corporelle : 30.
Circonférence de la taille : 92 centimètres.
Pourcentage de gras : 39 %.
Poids perdu dans le passé : elle a réussi à plusieurs reprises à perdre du poids, mais l'a toujours repris.
Objectif de poids ultime : elle aimerait se rapprocher de son poids santé.

PORTRAIT
Femme célibataire, elle veut continuer à profiter de son réseau social, mais désire plus que jamais retrouver la forme. Elle cherche à adopter un rythme de vie moins effréné afin d'atteindre son plein potentiel. Adepte des repas au restaurant, des soirées arrosées, des 5 à 7 et des sorties entre filles, elle a un horaire d'activités sociales chargé. Elle souhaite mettre de l'ordre dans son quotidien afin d'avoir un meilleur équilibre de vie.
Sa plus grande qualité : son sens de l'humour.
La difficulté à surmonter : ne pas reprendre le poids perdu.
Sa crainte : ne pas être en mesure de résister aux tentations lors des repas pris au restaurant.
Son dada alimentaire : le grignotage en soirée.
La forme d'exercice à apprivoiser : l'appareil elliptique.
Ce qu'elle recherche dans le Programme 10-4 : trouver un meilleur rythme de vie… pour la vie.
Sa motivation : prévenir l'apparition de maladies liées à un surplus de poids. Son médecin a confirmé que son IMC actuel la classe dans la catégorie des personnes obèses ! Cette nouvelle a été difficile à accepter.

Georges a composé une métaphore qui illustre bien sa façon de voir le Programme 10-4.

LE VENT SE LÈVE, ET JE NE PEUX ATTENDRE UNE SECONDE DE PLUS. JE HISSE MA VOILE VERS DEMAIN POUR UN NOUVEAU DÉPART.

POUR GEORGES, C'EST PLUS QUE DE PERDRE DU POIDS

LE POIDS DE MON CHAGRIN EST PLUS LOURD QUE LE CHIFFRE INSCRIT SUR LE PÈSE-PERSONNE. J'AI RÉCEMMENT PERDU MON PETIT FRÈRE AVEC QUI JE PARTAGEAIS LES MÊMES AMIS AINSI QU'UNE PASSION POUR LES SPORTS. NOUS ÉTIONS COMME LES DEUX DOIGTS DE LA MAIN. IL EST DÉCÉDÉ DANS SON SOMMEIL, SANS AVERTISSEMENT ET SANS UN AU REVOIR... IL M'APPARAISSAIT POURTANT BEAUCOUP PLUS EN FORME QUE MOI. SON DÉPART FUT SI BRUSQUE ET INATTENDU QUE NOTRE FAMILLE NE S'EN REMET TOUJOURS PAS. MA MÈRE A ÉTÉ ATTEINTE DU CANCER DE LA THYROÏDE AU MÊME MOMENT ET MON PÈRE, LUI, SE DÉPLACE DÉSORMAIS EN FAUTEUIL ROULANT À LA SUITE D'UN AVC. MA VIE SE DIVISE DONC EN DEUX PHASES : LA PREMIÈRE AVANT LE DÉPART DE MON FRÈRE ET LA DEUXIÈME APRÈS SON DÉCÈS. MON FRÈRE FRANKLYN TENTAIT DE M'ENCOURAGER EN PROPOSANT DE M'ACCOMPAGNER AU GYM. AUJOURD'HUI, JE M'ENGAGE TOTALEMENT DANS CETTE AVENTURE EN SA MÉMOIRE. LE DESTIN S'EST TROP LONGTEMPS ACHARNÉ SUR MON SORT. JE REPRENDS ENFIN LE CONTRÔLE DE MA VIE.

Occupation : consultant financier.
Âge : 28 ans.

Le défi de Georges
Poids initial : 229 livres.
Taille : 5'10".
Indice de masse corporelle : 33.
Circonférence de la taille : 103 centimètres.
Pourcentage de gras : 30 %.
Poids perdu dans le passé : il a déjà tenté de se prendre en main, mais la motivation s'estompait toujours !
Objectif de poids ultime : 200 livres.

Portrait
Jeune professionnel au seuil de la trentaine, Georges se trouve à un tournant important de sa vie. Ayant beaucoup de beaux projets en tête, il veut changer son destin et réussir à faire le deuil de son frère, dont le décès a bouleversé sa vie. Bon vivant, il est charmant et aime partager de bons petits plats avec sa famille et ses amis. Il doit prendre soin de lui et se remettre en forme une fois pour toutes. Son cercle d'amis veille sur lui, en plus de son entraîneur personnel, qui l'encourage sans arrêt tellement elle veut son bien.
Sa plus grande qualité : sa résilience.
La difficulté à surmonter : s'entraîner tous les jours.
Sa crainte : aucune.
Son dada alimentaire : c'est un buveur social.
La forme d'exercice à apprivoiser : l'exercice tout court !
Ce qu'il recherche dans le Programme 10-4 : mieux se préparer à la vie qui l'attend.
Sa motivation : la forme physique qu'il a déjà connue et qu'il veut retrouver.

ET POUR VOUS, QUEL EST L'ÉLÉMENT DÉCLENCHEUR ?

À la suite de la lecture du profil de nos participants, je vous propose de dresser votre propre portrait. Qu'est-ce qui vous caractérise ? Quels sont vos objectifs ultimes ? Que ressentez-vous à l'aube du changement de vos habitudes en vue d'une perte de poids ? Bien que chaque personne ait des raisons qui lui sont propres pour entamer ce processus, il y a certainement un événement en particulier qui vous incite à modifier votre hygiène de vie. Voilà exactement ce qu'il vous faut identifier. Le bien-être psychologique jumelé au bien-être physique ne peut que favoriser une bonne santé générale.

Qu'est-ce qui a sonné l'alarme et vous amène enfin à passer à l'action ? Inspirez-vous de la liste suivante et des motivations citées par nos participants pour identifier votre élément déclencheur.

▶ Vous souhaitez plaire à l'élu de votre cœur ?

▶ Vous aimeriez boutonner votre chemise ?

▶ Vous constatez que le fait de chausser vos souliers est devenu un exercice périlleux ?

▶ Vous voulez vous sentir plus jeune plutôt que vous regarder vieillir ?

▶ Vous désirez enfiler un bikini (ou un Speedo) pour votre prochain voyage dans le Sud ?

▶ Vous n'aimez pas du tout votre allure dans le miroir, sur une photo ou une vidéo ?

▶ Vous n'avez jamais réussi à perdre le surplus de poids accumulé avec les années ou à la suite d'une grossesse ?

▶ Vous traversez la ménopause et souhaitez soulager les inconforts liés aux changements hormonaux ?

▶ Vous avez reçu un diagnostic médical ou vous avez un proche qui est malade ?

▶ Vous êtes inspiré(e) par l'attitude et le changement d'apparence d'un(e) collègue ?

▶ Vous essayez de suivre votre (vos) enfant(s), mais vous êtes rapidement à bout de souffle ?

Avez-vous réussi à identifier les éléments déclencheurs qui vous concernent ? Puisque l'amélioration de votre condition physique et de votre alimentation sera votre priorité au cours des 4 prochaines semaines, il faudra vous rappeler vos buts... histoire de maintenir votre motivation tout au long de la poursuite de votre objectif.

LA DIFFÉRENCE ENTRE LE PROGRAMME 10-4 ET LES DIÈTES POPULAIRES

Comme la plupart des gens, vous saviez certainement que l'atteinte d'un poids santé et l'acquisition d'une bonne hygiène de vie peuvent prévenir certaines maladies, mais c'est la mise en pratique de ces principes au quotidien qui semble difficile. Rassurez-vous, vous avez fait le bon choix en vous procurant ce livre qui propose une prise en charge, un encadrement et un plan d'action concrets. Notre formule pour perdre 10 livres en 4 semaines combine la saine alimentation et l'activité physique. Ce qui n'est pas le cas des fameuses diètes promettant des résultats époustouflants sans trop d'efforts ! Question de ne jamais tomber (ou retomber) dans ce piège, je vous invite à bien saisir pourquoi ces diètes représentent un réel danger pour votre santé. Vous serez ensuite en mesure de comprendre pourquoi le Programme 10-4 s'avère une solution saine et durable.

Le piège des diètes

Parmi le nombre croissant de diètes offertes au Québec, plusieurs paraissent séduisantes à première vue mais sont clairement malsaines (réf. 13, 14). Sachez que dès que la solution miracle contient le mot « diète » ou « régime », il faut se poser des questions ! Il y a au moins trois caractéristiques typiques d'une diète dommageable pour la santé :

1. une approche universelle prétendument adaptée pour tous ;

2. aucune mention de l'importance d'être actif et de faire de l'exercice ;

3. des apports caloriques se situant en deçà des besoins énergétiques du métabolisme au repos (ce qui peut être dangereux pour la santé).

Dans certains cas, on vous propose une formule de restriction alimentaire censée convenir à tous. Ces diètes imposent un déficit calorique identique pour tous ceux qui suivent le régime, sans tenir compte des variables individuelles comme l'âge, le sexe, le poids, l'activité physique quotidienne et le métabolisme au repos. Cette approche n'est ni souhaitable ni réaliste, car chaque individu a un mode de vie particulier et un bagage génétique unique, deux facteurs à considérer si on veut obtenir une perte de poids saine et durable.

Méfiez-vous également des diètes qui ne font aucune mention de l'importance de l'activité physique dans le processus de perte de poids. Un programme ne se préoccupant que des apports caloriques quotidiens ne peut être soutenu à long terme. La pratique régulière de l'activité physique est cruciale afin de perdre du poids et ne pas le reprendre (réf. 13, 14). Bien que l'exercice cardiovasculaire génère une dépense calorique, le développement de votre masse musculaire assure que le poids perdu provient principalement de votre masse adipeuse (réserves de gras). Il faut absolument éviter que votre masse musculaire soit utilisée comme source d'énergie. L'activité physique, incluant des exercices de musculation, est donc indispensable à la perte de poids.

De même, si un programme de perte de poids ne prend pas en considération l'activité de votre métabolisme au repos (c'est-à-dire la quantité de calories que votre corps brûle à ne rien faire), c'est mauvais signe ! L'évaluation de votre métabolisme au repos est nécessaire parce qu'une diète ne vous permettant pas d'ingérer suffisamment de calories pour subvenir à vos besoins de base (respirer, penser, faire battre votre cœur et autres fonctions de survie de l'organisme) peut générer plusieurs effets indésirables tels qu'un manque d'énergie, de la fatigue et des carences nutritionnelles. Éventuellement, le fait d'ingérer moins de calories que votre métabolisme au repos en requiert peut abaisser celui-ci (réf. 15, 16).

Cela s'explique par le fait que l'organisme s'habitue à fonctionner avec moins de calories et emmagasine alors ces dernières sous forme de gras en prévision d'une future période de privation. Le métabolisme au repos est ralenti encore par la perte de masse musculaire causée par un apport calorique insuffisant. Voilà pourquoi les diètes peuvent provoquer une perte de poids rapide, mais temporaire, car elles ne ciblent pas uniquement la masse adipeuse. Ces tentatives se soldent invariablement par une reprise des livres perdues aussitôt la diète terminée ! Ce phénomène physiologique est couramment appelé « yo-yo » et est responsable de nombreux désagréments chez tous ceux qui en sont victimes.

Le Programme 10-4 constitue une formule efficace pour atteindre votre poids santé ou amorcer une perte de poids plus importante. Maintenant, il ne vous reste plus qu'à découvrir en détail les règles du programme pour suivre ses principes durant le prochain mois. Après cela, vous aurez tous les éléments pour réussir !

L'EXPLICATION MATHÉMATIQUE DE LA PERTE DE **10** LIVRES

Afin de bien comprendre les raisons mathématiques de la perte de poids, il est intéressant d'observer comment le poids corporel peut fluctuer au fil du temps. Avez-vous déjà fait l'expérience de revoir une connaissance de longue date qui a pris du poids depuis votre dernière rencontre ? Vous vous êtes sans doute dit que cette personne s'était laissée aller. Il est effectivement facile de prendre du poids d'une année à l'autre sans trop s'en apercevoir... Cette prise de poids sournoise se produit pourtant au jour le jour.

Considérant qu'une livre de gras contient 3 500 calories, un surplus de poids de 10 livres correspond donc à un surplus énergétique (ou excès calorique) total de 35 000 calories. À première vue, le fait d'emmagasiner 35 000 calories peut sembler impressionnant, mais il faut voir que, échelonné sur une décennie, ce gain de poids équivaut à un surplus énergétique d'à peine 10 calories par jour ou à une diminution de la dépense énergétique de 10 calories tous les jours.

Rassurez-vous, votre perte de poids de 10 livres ne s'étalera pas sur dix ans ! Les 4 prochaines semaines vous permettront d'entamer votre perte de poids de façon saine et sécuritaire tout en contribuant dès aujourd'hui à améliorer vos habitudes de vie. Au cours du prochain mois, vous créerez un déficit énergétique de 1 250 calories par jour pour perdre un total de 35 000 calories en 4 semaines.

FAITES LE CALCUL

1 250 calories en moins chaque jour, pendant vingt-huit jours, cela équivaut à une réduction calorique totale de 35 000 calories.

1 250 calories × 28 jours = 35 000 calories

Puisque chaque livre perdue correspond à 3 500 calories, vous aurez « économisé » 35 000 calories ou perdu 10 livres après 4 semaines.

35 000 calories ÷ 3 500 = 10 livres

À quoi s'attendre comme perte de poids ?

Une perte de poids sécuritaire représente de une à trois livres par semaine, ce qui implique un déficit énergétique raisonnable. Toute perte de poids supérieure à trois livres par semaine est possible uniquement dans la mesure où la masse musculaire est épargnée et l'hydratation corporelle est maintenue. De plus, il faut éviter de réduire de façon draconienne l'apport en calories et de consommer moins de calories qu'il en faut pour soutenir l'activité du métabolisme au repos. Sinon, vous risquez des carences nutritionnelles, la déshydratation et une diminution de votre masse musculaire, ce qui favoriserait une reprise du poids perdu. Il est impossible que le surpoids accumulé au fil des années puisse se perdre en une seule semaine ! En procédant de façon graduelle et en adoptant la bonne méthode, vous réussirez à perdre du poids et à augmenter votre niveau d'énergie tout en améliorant votre santé mentale et physique.

Les deux parties de l'équation : les calories que vous mangez et celles que vous dépensez

Le processus de la perte de poids comprend deux aspects fondamentaux : les apports énergétiques (ce que vous mangez) et les dépenses énergétiques (ce que vous dépensez). Puisque chaque personne est différente, il importe de définir spécifiquement vos propres besoins en énergie afin de sélectionner le plan alimentaire et le programme d'entraînement qui vous conviennent le mieux. Pour avoir une idée de ce que vous devez manger (les calories ingérées) et de ce que vous devez dépenser (les calories brûlées), il faut faire quelques petits calculs. À vos crayons et votre calculatrice...

Le calcul du nombre de calories que vous brûlez par jour

Il faut estimer votre dépense énergétique journalière. Celle-ci tient principalement compte de votre métabolisme au repos et de votre niveau d'activité physique au quotidien, incluant les déplacements, les tâches ménagères, la tonte du gazon, les activités sportives, etc. L'activité énergétique de votre métabolisme au repos peut être estimée grâce à une formule mathématique ou chiffrée plus précisément à l'aide d'un appareil d'analyse de la composition corporelle par bio-impédance, ou encore par une analyse des échanges gazeux respiratoires (offerte dans certains laboratoires d'évaluation de la condition physique). Si vous n'avez pas accès à ces technologies, utilisez la formule, proposée par l'Organisation mondiale de la santé (OMS), qui estimera le mieux l'activité énergétique de votre métabolisme au repos (voir tableau 4).

1. Pour connaître votre poids en kilogrammes, divisez votre poids en livres par 2,2. Puis calculez votre métabolisme au repos en insérant votre poids en kilogrammes dans la formule correspondant à votre sexe et à votre âge.

2. Ensuite, pour connaître la quantité totale de calories que vous dépensez, il faut estimer votre niveau d'activité physique quotidien d'après les exemples proposés par l'OMS (voir tableau 5). Ce facteur d'activité physique est différent d'une personne à l'autre, car il tient compte de votre mode de vie, de la nature de votre travail et des loisirs pratiqués. Une fois votre facteur de multiplication déterminé, vous devrez multiplier le résultat de votre métabolisme au repos par celui-ci.

3. Pratiquez-vous régulièrement un sport ou une activité physique où vous sentez votre pouls s'accélérer et où vous avez chaud et transpirez ? Si c'est le cas, estimez le nombre de calories dépensées lors de cette activité et ajoutez-le au total que vous avez calculé jusqu'à présent.

Évaluer les calories que vous mangez tous les jours

L'autre partie de l'équation consiste à évaluer la quantité de calories que vous consommez en moyenne par jour. Cela n'est pas une tâche facile, car votre routine alimentaire varie d'un jour à l'autre. Pour estimer vos apports énergétiques, un des meilleurs moyens est de recourir aux services d'un nutritionniste. Vous pouvez aussi calculer vos apports énergétiques en tenant un journal alimentaire quotidien. De plus, il existe de nombreux logiciels informatiques sur le marché permettant de quantifier et de qualifier vos habitudes alimentaires avec beaucoup de précision. C'est un travail de moine, mais qui en vaut la peine si vous désirez réellement changer vos habitudes... et transformer votre silhouette ! Une fois que vous aurez une idée de votre apport alimentaire et de votre dépense énergétique, vous posséderez les prérequis pour commencer votre perte de poids.

S'entraîner et s'habituer à bien manger !

Maintenant que vous avez pris connaissance des notions d'apports et de dépenses énergétiques, vous êtes en mesure de comprendre que, pour perdre du poids, il faut dépenser plus d'énergie qu'on en consomme. Facile à dire, plus difficile à faire, dites-vous ? C'est le secret d'une perte de poids durable. Le Programme 10-4 engendre un déficit énergétique de 1 250 calories par jour, rendu possible grâce à un programme d'entraînement spécifique et un plan alimentaire précis.

Le programme d'entraînement prévoit une dépense d'environ 550 calories par jour pendant quatre semaines et propose une variété d'exercices à exécuter dans un centre de conditionnement physique, à la maison, à l'extérieur ou dans tout autre endroit où vous êtes en mesure de bouger ! Quant au plan alimentaire 10-4, il engendre un déficit calorique d'approximativement 700 calories par jour pendant vingt-huit jours. Le défi peut sembler de taille, mais vous découvrirez dans le présent ouvrage les moyens pour vous aider à le relever et à demeurer motivé tout au long du programme.

TABLEAU 5	FACTEURS DE MULTIPLICATION PRÉDISANT LE NIVEAU D'ACTIVITÉ PHYSIQUE	
Niveau d'activité physique		**Facteur de multiplication**
Marche, travail de bureau léger (60 à 75 % du temps assis), tâches ménagères (balayer, faire la vaisselle, etc.).		**1,5**
Jogging léger, bicyclette, danse, entraînement régulier, travail modéré (50 % du temps assis, 50 % en déplacement ou à faire des tâches de manutention), jardinage.		**1,7**
Jogging intense, entraînement régulier et intense, travail de manutention soutenu, menuiserie, etc.		**1,9**

(D'après l'Organisation mondiale de la santé)

TABLEAU 4 CALCUL DE VOTRE MÉTABOLISME AU REPOS

Femmes

18 À 30 ANS	14,7 × VOTRE POIDS EN KILOGRAMMES + 496
31 À 60 ANS	8,7 × VOTRE POIDS EN KILOGRAMMES + 829
61 ANS ET +	10,5 × VOTRE POIDS EN KILOGRAMMES + 596

Hommes

18 À 30 ANS	15,3 × VOTRE POIDS EN KILOGRAMMES + 679
31 À 60 ANS	11,6 × VOTRE POIDS EN KILOGRAMMES + 879
61 ANS ET +	13,5 × VOTRE POIDS EN KILOGRAMMES + 487

Métabolisme au repos (en nombre de calories)	X	Facteur de multiplication du niveau d'activité physique	+	Calories supplémentaires dépensées par un sport ou une activité physique (s'il y a lieu)	=	Nombre total de calories brûlées par jour

L'ABC DU PROGRAMME D'ENTRAÎNEMENT 10-4

Le but du programme d'entraînement 10-4 est de changer vos habitudes de vie en vous proposant des exercices agréables, variés et à intensité modérée pendant les vingt-huit jours de votre « transformation ». Les exercices proposés sont faciles à exécuter et contribueront à améliorer l'état de votre système cardio-vasculaire, de même qu'à augmenter votre force et votre endurance musculaires ainsi que votre flexibilité. Le Programme 10-4 vous permet de retrouver la forme tout en sculptant votre silhouette.

Vous aurez la chance de suivre un programme structuré d'exercices entraînants. Chaque séance quotidienne d'une durée approximative de 45 minutes génère une dépense d'environ 350 calories. Vous réussirez à atteindre cet objectif en modifiant l'intensité et la durée des exercices proposés. De plus, vous dépenserez environ 200 calories supplémentaires chaque jour en développant des réflexes plus actifs (comme faire une marche après les repas, utiliser les escaliers plutôt que les ascenseurs, etc.). Référez-vous au tableau 6 pour des idées qui vont dans ce sens. La combinaison de toutes ces activités physiques engendrera une dépense énergétique totale de 550 calories par jour.

VOTRE PROGRAMME D'ENTRAÎNEMENT EN UN COUP D'ŒIL		
La fréquence de l'entraînement MULTIPLIEZ LES OCCASIONS D'ÊTRE ACTIF TOUS LES JOURS		
Sept séances d'entraînement structurées par semaine selon les exercices du Programme 10-4	+	Une ou plusieurs autres activités physiques complémentaires par jour, au choix
La durée des séances PRENEZ GOÛT À FAIRE DE L'EXERCICE		
Une séance d'entraînement structurée d'environ 45 minutes chaque jour	+	Activités physiques complémentaires pendant environ 30 minutes chaque jour
La nature des exercices ÉQUILIBREZ VOS TYPES D'ENTRAÎNEMENT		
Les sept séances d'entraînement structurées par semaine incluent : quatre séances d'entraînement cardiovasculaire par semaine	+	Trois séances d'entraînement musculaire combinées à quelques exercices cardio-vasculaires par semaine

L'intensité

DÉPASSEZ-VOUS PHYSIQUEMENT ET MENTALEMENT

Chaque séance structurée d'entraînement devra générer une dépense énergétique de 350 calories

+

Les autres activités complémentaires devront engendrer une dépense énergétique supplémentaire de 200 calories

MAINTENEZ LE RYTHME ET AYEZ DU PLAISIR

La nature des exercices cardiovasculaires proposés de semaine en semaine variera pour éviter la monotonie. Si vous êtes à l'aise avec cette idée, vous pouvez choisir le même type d'exercice cardiovasculaire pour les quatre semaines du programme. Si vous choisissez une activité physique que vous aimez (comme par exemple le vélo stationnaire) pour toute la durée du programme, vous devrez augmenter l'intensité en cours de route, puisque votre condition physique s'améliorera. De cette manière, vous réussirez à maintenir le déficit énergétique de 350 calories à chaque séance. L'usage du même appareil durant les quatre semaines vous permettra de constater plus facilement votre évolution et l'amélioration de votre état.

Les exercices de musculation proposés seront similaires pendant les deux premières semaines, mais le temps de repos alloué entre les séries diminuera d'une semaine à l'autre. Pour les troisième et quatrième semaines, les exercices changeront et vous utiliserez le ballon d'exercice en plus des poids libres pour hausser le niveau de difficulté.

Comment mesurer votre intensité et votre dépense calorique ?

Pour dépenser 350 calories au cours de chaque séance d'entraînement structurée, comptez vos battements de cœur afin de connaître votre fréquence cardiaque et visez une intensité correspondant à 70 % de votre capacité aérobie (ce qu'on appelle le VO_2 Max). D'ailleurs, n'hésitez pas à consulter un kinésiologue, qui vous indiquera le seuil à respecter pour atteindre l'intensité optimale lors de l'exercice. Référez-vous au guide des fréquences cardiaques dans le graphique qui suit.

Afin d'arriver à dépenser 200 calories supplémentaires au quotidien grâce à des activités qui s'ajoutent à vos séances d'entraînement, référez-vous au tableau 6, qui propose d'autres idées d'activités physiques intéressantes et accessibles (voir p. 41).

GRAPHIQUE 1

FRÉQUENCES CARDIAQUES

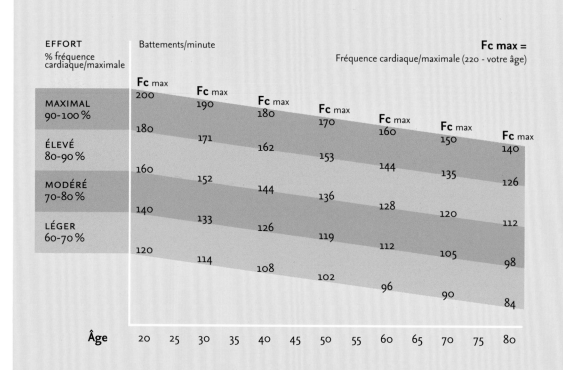

EFFORT
% fréquence cardiaque/maximale

Battements/minute

Fc max =
Fréquence cardiaque/maximale (220 - votre âge)

MAXIMAL
90-100 %

ÉLEVÉ
80-90 %

MODÉRÉ
70-80 %

LÉGER
60-70 %

Fc max
200

Fc max
190

Fc max
180

Fc max
170

Fc max
160

Fc max
150

Fc max
140

180   171   162   153   144   135   126

160   152   144   136   128   120   112

140   133   126   119   112   105   98

120   114   108   102   96   90   84

Âge   20   25   30   35   40   45   50   55   60   65   70   75   80

1

Repérez votre âge sur l'axe situé au bas de l'échelle.

2

À partir de votre âge, remontez jusqu'à la zone d'intensité qui vous convient. Dans la zone sélectionnée, prenez note des limites maximum et minimum que devra atteindre votre rythme cardiaque.

3

Vous avez maintenant trouvé votre zone cible d'intensité à atteindre lors de vos entraînements cardiovasculaires.

TABLEAU 6

IDÉES D'ACTIVITÉS PHYSIQUES COMPLÉMENTAIRES

Activités physiques complémentaires	Temps requis pour dépenser environ 200 calories*
Course à pied à 11 kilomètres/heure	14 minutes
Monter un escalier	15 minutes
Hockey	16 minutes
Ski de fond	
Vélo à 19-22 kilomètres/heure	
Patin à roues alignées ou patinage récréatif	18 minutes
Soccer récréatif	
Ski alpin (sans arrêt)	
Pelletage	
Course à pied à 8 kilomètres/heure	20 minutes
Natation avec effort léger à modéré	21 minutes
Ballon-panier (basketball)	
Tonte du gazon	28 minutes
Marche rapide ou randonnée pédestre	
Golf (avec bâtons et sans voiturette)	36 minutes
Danse avec un pas rapide	40 minutes
Aérobie aquatique (aquaforme)	
Vélo à 16 kilomètres/heure	43 minutes
Jeu actif avec un enfant	57 minutes
Lavage de planchers, de fenêtres ou de voiture	60 minutes
Tâches ménagères ou jardinage	

(D'après les données du *Compendium of Physical Activities Tracking Guide*) * Estimations de dépense énergétique basées sur un adulte de 70 kilogrammes

Êtes-vous un habitué ou un néophyte de l'entraînement ?

Pour une personne qui a déjà effectué des exercices dans un centre de conditionnement physique ou à la maison, l'adaptation au Programme 10-4 sera plus facile. Si, au contraire, vous en êtes à vos débuts dans l'entraînement, comme c'était le cas pour Camilla et Pierre, allez-y graduellement et prenez le temps de vous familiariser avec les exercices pour bien saisir la technique. Dès le début du programme, il faudra vous habituer à cette nouvelle routine en plus de bien manger et de bien dormir. Courage, vous y arriverez !

L'ABC DU PLAN ALIMENTAIRE 10-4

Le plan alimentaire 10-4 a pour objectif de modifier vos habitudes alimentaires en vous incitant à cuisiner des recettes délicieuses, allégées, rassasiantes, qui contiennent plusieurs aliments anticancer. Les recettes sont simples à préparer et se comparent en termes de valeur nutritive, ce qui facilite la substitution et la répétition de certaines recettes en fonction de ce qu'on a sous la main et selon le goût du jour. Les menus proposent une routine alimentaire optimale, dont le principe consiste à manger moins mais plus souvent. Cette façon de vous nourrir contribue à maintenir votre niveau d'énergie, à récupérer après l'exercice avec une collation, à combler votre appétit et, par le fait même, à éviter les fringales.

Ces menus offrent une variété de collations et de repas nourrissants et satisfaisants pour les vingt-huit prochains jours et au-delà, si vous souhaitez continuer ! Pour chaque journée, les menus se composent de trois repas d'environ 400 calories avec les accompagnements, en plus d'une ou plusieurs collation(s) d'environ 200 calories chacune. L'organisation des menus est simplifiée du fait que vous pouvez interchanger les recettes. Cela signifie que, si vous appréciez particulièrement l'une d'elles, il est possible de la répéter à n'importe quel moment pendant les 4 semaines à venir.

En plus de cette routine alimentaire, vous devrez boire beaucoup d'eau dans le but d'assurer une bonne hydratation, de diminuer la sensation de faim et de remplacer les pertes en eau causées par l'activité physique. Vous constaterez que votre plan alimentaire vous recommande des boissons sans alcool, très faibles en calories, et des sources d'antioxydants (le thé vert, par exemple). Cela veut dire que, pendant le prochain mois, vous serez appelé à restreindre votre consommation d'alcool, de jus, de cocktails de fruits, de boissons gazeuses ou de toute autre boisson calorique. C'est l'occasion de développer votre goût pour l'eau, quitte à l'aromatiser en y ajoutant des tranches de citron, et d'apprendre à boire votre café sans sucre ni crème…

LA FACE CACHÉE DES BOISSONS GAZEUSES DIÈTES

Pour satisfaire les goûts d'une société qui a le bec sucré mais qui est soucieuse des calories, les boissons gazeuses diètes ont fait leur apparition sur le marché. Après l'enthousiasme initial suscité par ces douceurs prétendument inoffensives, la face cachée des boissons diètes a été révélée. Tout d'abord, la liste des ingrédients contenus dans une boisson gazeuse diète est loin d'être rassurante : l'acide phosphorique qu'elle contient compromet la santé des os et des dents, et les succédanés (l'aspartame, le sucralose et les autres) qu'on y ajoute peuvent être néfastes s'ils sont utilisés en trop grandes quantités (réf. 70, 71). De plus, la consommation excessive de boissons gazeuses diètes peut causer une augmentation de l'appétit et entretenir un penchant pour le sucré (réf. 70, 72). Enfin, n'est-il pas irrationnel de payer pour de l'eau gazéifiée, caféinée et sucrée artificiellement ? Faites comme Véronique et abstenez-vous de ces boissons qui ne vous apporteront, en fin de compte, rien de bon.

VOTRE PLAN ALIMENTAIRE EN QUELQUES BOUCHÉES

La routine alimentaire

MANGEZ MOINS, MAIS PLUS SOUVENT

Trois repas d'environ 400 calories chacun tous les jours	+	Une ou plusieurs collations d'environ 200 calories chacune sur une base quotidienne

Le plaisir de cuisiner

PRENEZ GOÛT À FAIRE LA POPOTE

De succulentes recettes simples à effectuer pour les vingt-huit jours du programme	+	Aliments anticancer et nouvelles combinaisons intéressantes

La qualité nutritive

ÉQUILIBREZ LES REPAS ET LES COLLATIONS

Repas concoctés à partir d'aliments provenant d'au moins trois des quatre groupes alimentaires, ce qui veut dire qu'ils sont équilibrés et que vous ne manquerez de rien	+	Collations complètes fournissant des glucides et des protéines à l'organisme

La variété d'aliments

DÉGUSTEZ UNE MULTITUDE DE SAVEURS

Le Programme 10-4 vous donne accès à pas moins de 84 nouvelles recettes et 28 nouvelles collations pour varier votre menu quotidien. Les recettes, accompagnements et collations incluent plus d'une vingtaine d'aliments anticancer.

VOTRE PLAN ALIMENTAIRE PERSONNALISÉ

Le plan alimentaire du Programme 10-4 est conçu pour répondre à vos besoins spécifiques, soit : 1 400 calories, 1 600 calories, 1 800 calories ou 2 000 calories. Il vous faut absolument faire le calcul pour identifier votre profil personnel. Assurez-vous d'avoir un apport calorique suffisamment faible pour générer une perte de poids, mais suffisamment élevé pour répondre à vos besoins vitaux et vous investir avec énergie dans vos activités quotidiennes et vos séances d'entraînement. Pour déterminer votre plan alimentaire personnalisé, vous devez soustraire 700 calories du résultat de votre dépense énergétique totale (déjà calculée aux pages 36-37). Le résultat que vous obtiendrez vous indiquera la quantité totale de calories que vous devriez ingérer chaque jour pendant les 4 prochaines semaines. Choisissez le plan alimentaire qui se rapproche le plus de votre résultat. Rappelez-vous qu'il ne faut jamais (au grand jamais !) consommer moins de calories qu'il vous en faut pour subvenir aux besoins de votre métabolisme au repos. Pour vous assurer de bien saisir le calcul à effectuer, référez-vous aux exemples de nos six participants.

CAMILLA PARTAGE UNE TRANCHE DE VIE

J'AI ENSEIGNÉ DURANT PLUSIEURS ANNÉES ET, AU COURS DE CETTE PÉRIODE, MON TRAVAIL A PRIS LE DESSUS SUR LE RESTE DE MA VIE. J'AI PRESQUE CESSÉ D'ÊTRE ACTIVE PHYSIQUEMENT, PUIS LA MÉNOPAUSE EST ARRIVÉE. J'AI DÈS LORS CONSTATÉ QUE MES HABITUDES ALIMENTAIRES DEVAIENT ÊTRE REVUES. MON ESTIME DE MOI EN A PRIS UN COUP. À MA RETRAITE, JE N'AVAIS PLUS DE REPÈRES, JE DEVAIS TROUVER UNE NOUVELLE RAISON DE VIVRE. J'ÉTAIS PLUS RONDE, PLUS LOURDE, ESSOUFFLÉE POUR UN RIEN ET JE N'ENTRAIS PLUS DANS LES VÊTEMENTS QUE J'AIMAIS. C'EST À CE MOMENT QUE J'AI ENFIN DÉCIDÉ DE ME PRENDRE EN MAIN. ME VOICI DONC !

Plan alimentaire à 1 400 calories

Si le plan à 1 400 calories vous échoit, ne vous inquiétez pas, c'est loin d'être une grève de la faim ! Vous pourrez manger trois repas et une collation chaque jour, comme ce fut le cas pour Camilla.

LES CALCULS MATHÉMATIQUES DE PERTE DE POIDS DE CAMILLA
Estimation du métabolisme au repos avec l'appareil d'analyse de la composition corporelle par bio-impédance : 1 359 calories.

Évaluation du niveau d'activité physique avant le 10-4 : il s'agit pour elle du facteur minimal (1,5) puisque les activités physiques de Camilla se résument à des travaux ménagers et un peu de jardinage l'été. La multiplication de son résultat de métabolisme au repos par ce facteur d'activité permet de savoir qu'elle maintiendra son poids en consommant approximativement 2 000 calories par jour.

Camilla devra bouger davantage et respecter un déficit calorique alimentaire de 700 calories par jour. Elle suivra donc le plan alimentaire à 1 400 calories.

L'ADAPTATION DU PLAN ALIMENTAIRE POUR CAMILLA

Comme c'est le cas de plusieurs personnes, Camilla avait l'habitude de prendre de gros repas sans prévoir de collations. L'évaluation de ses habitudes alimentaires par une nutritionniste a révélé qu'elle choisissait de bons aliments, mais que ses portions étaient trop généreuses. Camilla aurait avantage à manger de plus petites quantités, mais plus souvent dans la journée. Pas question de s'affamer pour autant. Elle prendra ses trois repas et une collation, du lait au chocolat (miam!) avec une pomme, après son entraînement de l'avant-midi. Elle boira beaucoup d'eau et grignotera des crudités en après-midi si elle a faim.

Plan alimentaire à 1 600 calories

Si vous avez calculé qu'il vous faudrait consommer 1 600 calories quotidiennement afin de perdre du poids, alors vous devrez manger trois repas et deux collations, comme Josée et Véronique.

LES CALCULS MATHÉMATIQUES DE PERTE DE POIDS DE JOSÉE

Estimation du métabolisme au repos avec l'appareil d'analyse de la composition corporelle par bio-impédance: 1 427 calories.

Évaluation du niveau d'activité physique avant le 10-4: facteur minimal (1,5) parce qu'elle se limite actuellement à ses déplacements, son travail à l'école et ses soirées avec des amies. En multipliant le nombre de calories du métabolisme au repos par ce facteur d'activité, on voit que, si elle consomme en moyenne 2 150 calories par jour, elle maintiendra son poids actuel.

Josée devra bouger tous les jours et diminuer son apport alimentaire journalier de 700 calories. Puisqu'elle ne peut pas aller en dessous de son métabolisme au repos, elle suivra le plan alimentaire à 1 600 calories.

L'ADAPTATION DU PLAN ALIMENTAIRE POUR JOSÉE

Josée ne s'est jamais considérée comme un « grand cuistot »! Son mode de vie et son horaire changeant font en sorte qu'elle mangeait souvent sur le coin d'un bureau, dans la voiture ou au resto. Sa nutritionniste lui a suggéré de mieux planifier ses repas et ses collations afin d'éviter les casse-croûte improvisés. Elle profitera donc de sa journée du dimanche pour cuisiner les repas de la semaine et préparera les accompagnements et les collations la veille de chaque jour.

LES CALCULS MATHÉMATIQUES DE PERTE DE POIDS DE VÉRONIQUE

Estimation du métabolisme au repos avec l'appareil d'analyse de la composition corporelle par bio-impédance: 1 602 calories.

Évaluation du niveau d'activité physique avant le 10-4: facteur minimal (1,5) malgré le fait qu'elle s'entraîne quelques fois par semaine et passe ses journées à courir après ses enfants! Pour Véronique, le total des calories qu'elle doit consommer chaque jour est calculé de la façon suivante: le métabolisme au repos multiplié par le facteur d'activité indique une consommation de 2 400 calories.

Chaque jour, Véronique devra bouger plus et retrancher approximativement 700 calories de son alimentation. Elle se verra alors attribuer, comme Josée, le plan alimentaire à 1 600 calories.

L'ADAPTATION DU PLAN ALIMENTAIRE POUR VÉRONIQUE

Véronique cherche depuis très longtemps à retrouver l'équilibre alimentaire dans sa vie de tous les jours. Elle admet avoir beaucoup de difficulté à gérer son appétit et à résister aux tentations. Sa nutritionniste a réalisé que Véronique ignorait ses signaux de faim et de satiété, ce qui faisait en sorte qu'elle commençait par se priver, pour finalement succomber à la fringale. Véronique devra s'assurer de manger juste assez, pas trop, ce qui n'est pas évident! Elle préparera les repas pour elle-même et pour sa famille, en plus des collations. Elle devra apprendre à faire confiance à son corps et respecter ses signaux de faim et de satiété.

Plan alimentaire à 1 800 calories

Si vous êtes de ceux qui doivent consommer 1 800 calories par jour, vous serez dans la même situation que Pierre. Vous mangerez trois repas et trois collations.

CAMILLA			
1 359 (métabolisme au repos)	×	1,5 (niveau d'activité physique)	=	2 038,5 calories

JOSÉE			
1 427 (métabolisme au repos)	×	1,5 (niveau d'activité physique)	=	2 140,5 calories

VÉRONIQUE			
1 602 (métabolisme au repos)	×	1,5 (niveau d'activité physique)	=	2 403 calories

PIERRE			
1 690 (métabolisme au repos)	×	1,5 (niveau d'activité physique)	=	2 535 calories

DANIEL			
1 827 (métabolisme au repos)	×	1,5 (niveau d'activité physique)	=	2 740,5 calories

GEORGES			
1 954 (métabolisme au repos)	×	1,5 (niveau d'activité physique)	=	2 931 calories

LES CALCULS MATHÉMATIQUES DE PERTE DE POIDS DE PIERRE

Estimation du métabolisme au repos avec l'appareil d'analyse de la composition corporelle par bio-impédance : 1 690 calories.

Évaluation du niveau d'activité physique avant le 10-4 : facteur minimal (1,5) parce qu'il se déplace toujours en voiture et n'a pas le temps de se rendre au gym. Si on multiplie la dépense énergétique de son métabolisme au repos par ce facteur d'activité, on arrive à la conclusion que son poids se maintiendra s'il consomme en moyenne 2 550 calories par jour.

Pierre devra augmenter son niveau d'activité physique et « économiser » 700 calories sous forme alimentaire tous les jours. Pour atteindre cet objectif, il devra adhérer au plan alimentaire à 1 800 calories.

L'ADAPTATION DU PLAN ALIMENTAIRE POUR PIERRE

Pierre a toujours eu le tour avec les casseroles. Il aime bien manger et profite des repas pour passer du temps avec sa famille. Toutefois, sa carrière l'occupe énormément, de sorte qu'il a peu de temps pour jouer au chef. D'après sa nutritionniste, il mange au-delà de ses besoins nutritionnels, ce qui peut expliquer sa prise de poids au fil des années. Son alimentation est riche en gras et en sodium en raison de son penchant pour les gâteries, tant sucrées que salées. Il prendra une collation après l'entraînement pour bien récupérer. Il profitera de l'occasion pour recommencer à cuisiner et partager de succulents repas avec ses proches.

Plan alimentaire à 2 000 calories

Ceux et celles qui peuvent se permettre 2 000 calories opteront pour un repas « double » au choix (c'est-à-dire deux portions) et accompagneront le tout de deux collations par jour. C'est le plan de Daniel et de Georges.

LES CALCULS MATHÉMATIQUES DE PERTE DE POIDS DE DANIEL

Estimation du métabolisme au repos avec l'appareil d'analyse de la composition corporelle par bio-impédance : 1 827 calories.

Évaluation du niveau d'activité physique avant le 10-4 : il vaut mieux choisir le facteur minimal (1,5) compte tenu du fait qu'il n'est pas allé au gym plus d'une ou deux fois par semaine dans le passé et qu'il est plutôt sédentaire dans sa vie quotidienne. En multipliant son métabolisme au repos par ce facteur d'activité, on déduit que Daniel maintiendrait son poids en consommant *grosso modo* 2 750 calories par jour.

Tous les jours, Daniel devra être actif en plus de créer un déficit de 700 calories dans son alimentation. Il devrait bien s'en tirer avec le plan alimentaire à 2 000 calories.

L'ADAPTATION DU PLAN ALIMENTAIRE POUR DANIEL

Daniel se dit un « vrai de vrai carnivore » ! Il s'intéresse à la nutrition et à ce qui se trouve dans son assiette, en particulier la quantité de protéines et de glucides. Comme il aime beaucoup les chiffres, Daniel a refait les calculs avec sa nutritionniste pour trouver une façon de bien manger tout en perdant du poids. Il devra diminuer ses portions et recommencer à cuisiner, deux défis intéressants mais exigeants. Il repartira à neuf avec les repas 10-4 et des collations nutritives tous les jours. Il veut développer l'habitude de manger environ toutes les trois heures pour ne manquer de rien et ne pas avoir faim.

LES CALCULS MATHÉMATIQUES DE PERTE DE POIDS DE GEORGES

Estimation du métabolisme au repos avec l'appareil d'analyse de la composition corporelle par bio-impédance : 1 954 calories.

Évaluation du niveau d'activité physique avant le 10-4 : facteur minimal (1,5), car il n'a pas chaussé ses souliers de course depuis quelque temps et il est assis la majorité de la journée (au bureau, à la maison et lors de ses sorties). La multiplication de son métabolisme au repos par le facteur d'activité établi permet de déterminer que le poids de Georges se maintiendra s'il absorbe environ 2 950 calories par jour.

Georges deviendra beaucoup plus actif au quotidien et diminuera son apport énergétique de 700 calories par jour. Il adhère au plan à 2 000 calories.

L'ADAPTATION DU PLAN ALIMENTAIRE POUR GEORGES

La mère de Georges a transmis à son fils le plaisir de cuisiner. Quelle chance ! Il s'en tirera à merveille avec la gamme de recettes 10-4. Il faudra quand même qu'il fasse des efforts. Sa nutritionniste a remarqué qu'il prenait la plupart de ses repas au restaurant et qu'il aimait bien boire un verre d'alcool à l'occasion. Il devra diminuer la fréquence de ses repas à l'extérieur et favoriser ceux qu'il cuisinera à la maison. Il préparera ses repas et collations quotidiennes, en plus de boire le lait au chocolat auquel il a droit après l'entraînement. D'ailleurs, vous pourriez aussi prendre cette très bonne collation après vos séances d'exercice !

ÊTES-VOUS PRÊT ?

Maintenant que vous avez trouvé le plan alimentaire et le programme d'entraînement qui vous conviennent, il ne vous reste qu'à passer à l'action ! Pour vous motiver pendant votre parcours, je vous donnerai des trucs en plus de partager avec vous des conseils d'experts. Aussi, vous aurez le privilège de suivre nos six participants étape par étape. Il n'y a aucune raison de revenir en arrière ; vous êtes entre de bonnes mains et en bonne compagnie pour relever ce défi. Il suffit d'y aller un jour à la fois.

Il ne me reste plus qu'à vous souhaiter un bon 10-4 !

AU CŒUR DE L'ACTION

SEMAINE 1 BIEN S'ORGANISER POUR RÉUSSIR. PLANIFIEZ VOTRE HORAIRE DE MISE EN FORME. ÉVITEZ DE REPORTER VOTRE SÉANCE AU LENDEMAIN. MAXIMISEZ VOTRE ASSIDUITÉ. RENDEZ VOS SÉANCES D'EXERCICE AGRÉABLES. PLANIFIEZ VOTRE HORAIRE DE REPAS ET DE COLLATIONS. FAITES LE MÉNAGE DU FRIGO ET DU GARDE-MANGER. SOYEZ PRÉVOYANT. ENTOUREZ-VOUS D'ALLIÉS DANS VOTRE DÉMARCHE. C'EST PARTI! **SEMAINE 2** BIEN DOSER LES EFFORTS ET LES PORTIONS. RESPECTEZ LA PRESCRIPTION D'ENTRAÎNEMENT. AJUSTEZ L'INTENSITÉ. PRENEZ LE TEMPS DE VOUS REPOSER. RESPECTEZ LA PRESCRIPTION ALIMENTAIRE. PRENEZ UNE PAUSE POUR LA COLLATION. **SEMAINE 3** À MI-CHEMIN DANS LA DÉMARCHE, RECHERCHER LA VARIÉTÉ. ASSUREZ UNE VARIÉTÉ D'EXERCICES. ASSUREZ UNE VARIÉTÉ D'ALIMENTS. **SEMAINE 4** LE SPRINT FINAL AVANT DE FRANCHIR LA LIGNE D'ARRIVÉE. LA PERTE DE POIDS CHEZ LES HOMMES ET LES FEMMES. L'ÂGE ET L'EXPÉRIENCE DE LA PERTE DE POIDS. LE POIDS DE DÉPART ET LE PROCESSUS D'AMAIGRISSEMENT.

BIEN S'ORGANISER POUR RÉUSSIR

C'est le début officiel de votre programme, et cela apporte beaucoup de nouveautés. La meilleure façon d'y faire face est de vous organiser. En commençant le 10-4, Georges et Camilla ont bien compris que changer ses habitudes n'est pas facile et qu'il faut prévoir du temps pour l'entraînement et la nouvelle routine alimentaire.

Voici quelques trucs pour vous aider à planifier la première semaine de votre transformation, comme l'ont fait nos participants « vedettes » de la première semaine, Pierre et Josée.

Planifiez votre horaire de mise en forme

Réservez du temps dans votre quotidien pour votre programme d'entraînement. Inscrivez ces périodes à votre agenda pour les quatre prochaines semaines. En plus de ces séances d'entraînement, vous devrez multiplier les occasions de bouger. Choisissez d'avance les activités physiques qui vous feront dépenser 200 calories supplémentaires tous les jours. Josée a pu démarrer dès le premier jour grâce à cette organisation du temps !

Évitez de reporter votre séance au lendemain

Une fois votre horaire d'exercice établi, il ne vous reste qu'à respecter ces précieux rendez-vous avec vous-même. En prévoyant ces périodes à votre calendrier, vous ne serez pas tiraillé par vos autres engagements et vous n'aurez pas à vous creuser la tête pour savoir à quel moment vous entraîner. Évitez de repousser votre entraînement au lendemain ; vous risqueriez de tout remettre en question, voire d'abandonner. Gardez en tête votre objectif !

Maximisez votre assiduité

Pour mettre toutes les chances de votre côté et garantir votre assiduité, préparez votre sac d'entraînement la veille et déposez-le dans l'entrée ou dans le coffre de votre voiture. Laissez vos souliers de course dans le vestibule et placez ce livre bien en vue et à portée de main, par exemple sur le comptoir. Pierre a vu sa condition physique s'améliorer dès la première semaine, et ce, grâce à sa rigueur et à l'organisation impeccable de ses séances d'entraînement.

Rendez vos séances d'exercice agréables

L'exercice doit être agréable ! Enregistrez des chansons dynamiques dans votre lecteur de musique. Trouvez un entraîneur personnel diplômé en sciences de l'activité physique ou en kinésiologie pour vous motiver pendant l'entraînement. Portez des vêtements d'exercice dans lesquels vous vous sentez à l'aise. Peu importe la saison, profitez des journées ensoleillées pour effectuer votre activité cardiovasculaire en plein air. Pour des idées de musique entraînante, référez-vous aux suggestions de Georges.

LISTE D'ÉCOUTE DE GEORGES

EMINEM *CINDERELLA MAN*	FORT MINOR *REMEMBER THE NAME*
EMINEM *NOT AFRAID*	B.O.B. *AIRPLANES*
DON OMAR ET PLAN B *HOOKAH*	DAVID GUETTA ET KID CUDI *MEMORIES*
FUEGO *UNA VAINA LOCA*	KANYE WEST *THE NEW WORKOUT PLAN*
JAMIE FOXX ET JUSTIN TIMBERLAKE *WINNER*	KANYE WEST *STRONGER*
OMEGA *QUE TENGO QUE HACER*	FLOBOTS *HANDLEBARS*

Georges gagne

Josée prise en flagrant délit

Planifiez votre horaire de repas et de collations

Avant même de faire votre épicerie, sélectionnez vos repas et collations à partir des menus 10-4. Rien ne doit être laissé à l'improvisation. En organisant de la sorte votre routine, vous prendrez de plus petites portions, plus souvent dans la journée. Vous serez ainsi moins affamé et moins enclin à grignoter ou à manger davantage au prochain repas. Afin de gagner du temps, Pierre a réalisé qu'il devait mieux planifier ses repas et collations.

Faites le ménage du frigo et du garde-manger

Profitez-en pour faire de la place pour de nouveaux aliments naturellement allégés, anticancer et savoureux ! Débarrassez-vous des produits moins nutritifs et placez des aliments santé sur le devant des étagères de votre réfrigérateur et de votre garde-manger. Faites l'acquisition d'une belle boîte à lunch et de bouteilles d'eau réutilisables pour vous encourager à bien manger et à vous hydrater. Munissez-vous de contenants étanches pour transporter, réfrigérer et congeler vos repas.

Soyez prévoyant

Il existe plusieurs astuces pour mieux manger, comme préparer la veille les aliments du déjeuner et du lunch du lendemain. Placez des bouteilles d'eau dans votre voiture, votre sac d'entraînement et au bureau pour vous hydrater régulièrement. Programmez une alarme électronique sur votre ordinateur ou sur votre cellulaire pour vous rappeler votre pause collation.

Entourez-vous d'alliés dans votre démarche

Le soutien de votre entourage et les encouragements de vos proches vous aideront à vous concentrer sur votre objectif, à éviter les tentations et à garder le moral dans les moments plus difficiles. N'essayez pas d'être une « superfemme » ou un « surhomme ». Demandez aux enfants de couper les légumes, invitez vos collègues à venir marcher avec vous, faites équipe avec votre conjoint pour l'épicerie et la cuisine.

C'est parti !

Au cours du prochain mois, vous réussirez à bien vous organiser. Au début, c'est la motivation qui vous poussera à l'action, puis, avant longtemps, l'habitude s'installera avec ses nombreux bénéfices. Tout vous semblera beaucoup plus simple… Vous vous apprêtez à améliorer votre quotidien, un pas (et une bouchée) à la fois.

UNE PREMIÈRE RÉVÉLATION POUR JOSÉE

J'AI EU UNE GROSSE FIN DE SEMAINE : C'ÉTAIT LE QUARANTIÈME ANNIVERSAIRE DE MARIAGE DE MES PARENTS ET NOUS AVONS CÉLÉBRÉ EN GRAND. J'AI TROUVÉ DIFFICILE DE RÉSISTER AUX CINQ SERVICES DU REPAS ET AU GÂTEAU AU CHOCOLAT. POUR LA PREMIÈRE FOIS DE MA VIE, J'AI REMARQUÉ QU'IL Y A DÉFINITIVEMENT UNE PRESSION SOCIALE QUI NOUS POUSSE À MANGER ET À BOIRE LORS DE CES ÉVÉNEMENTS. JE VOIS QUE LES GENS NE SONT PAS TOUJOURS À L'AISE LORSQU'ON DIT QU'ON VEUT FAIRE ATTENTION… MAIS JE N'AI PAS SUCCOMBÉ, ET CELA GRÂCE AUX CRUDITÉS (LA TREMPETTE EN MOINS, BIEN SÛR !). JE GARDE EN TÊTE QUE JE VEUX ATTEINDRE MON BUT ET QUE JE SUIS SUR LA BONNE VOIE. JE RÉALISE QUE LES FINS DE SEMAINE SERONT DE VÉRITABLES PIÈGES À CALORIES.

PROGRAMME D'ENTRAÎNEMENT

Voici maintenant les exercices pour la première semaine du Programme 10-4. En plus des descriptions, vous trouverez des images pour bien exécuter les mouvements ainsi que des icônes pour vous permettre de repérer facilement les exercices à faire au quotidien. Les séances d'entraînement dédiées au développement de votre système cardiovasculaire sont accompagnées d'un cœur, tandis que les séances associées au travail musculaire et cardiovasculaire sont signalées par un cœur et un haltère. Souvenez-vous qu'en plus de vos séances d'entraînement, vous devrez faire d'autres activités physiques pour dépenser 200 calories de plus chaque jour. Profitez-en pour faire une promenade après le repas, tondre le gazon ou pelleter l'entrée, pour bouger et vous dépenser !

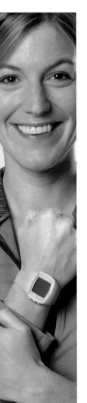

Aperçu de votre première semaine d'entraînement

Jour 1. 💜
Jour 2. ⫟ 💜
Jour 3. 💜
Jour 4. ⫟ 💜
Jour 5. 💜
Jour 6. ⫟ 💜
Jour 7. 💜

💜	Séance d'entraînement cardiovasculaire
⫟	Séance d'entraînement musculaire

Vos séances 💜 pour les jours 1, 3, 5 et 7

ÉCHAUFFEMENT

Faites une marche dynamique d'environ 5 minutes.

EXERCICE CARDIOVASCULAIRE

Enchaînez immédiatement avec une marche rapide de 45 à 60 minutes.

Cette promenade doit permettre de brûler environ 350 calories. Prenez note qu'une marche d'un pas normal de trois quarts d'heure brûle à peu près 200 calories. Ajustez la durée et la cadence ou ajoutez de courtes périodes de course pour atteindre la dépense énergétique requise. Fiez-vous au guide de fréquences cardiaques à la page 40 pour vérifier l'intensité et la durée requises. Le port d'une montre munie d'un cardio-fréquencemètre facilite cette tâche en mesurant tout ça pour vous !

RETOUR AU CALME

Marchez à un rythme modéré pendant 5 minutes.

Vos séances ⫟ 💜 pour les jours 2, 4 et 6

ÉCHAUFFEMENT

Pour votre échauffement, faites une marche dynamique d'environ 5 minutes.

EXERCICES MUSCULAIRES

Enchaînez avec l'exécution des exercices de musculation pendant une durée approximative de 20 minutes. Faites deux séries de douze répétitions pour chacun des exercices en prenant un temps de repos d'une minute entre chaque série. La partie d'exercice cardiovasculaire de cette séance suit à la page 61.

JAMBES ▸ **SQUAT** (2 × 12 répétitions)
Les pieds écartés de la largeur du bassin, les bras allongés devant à la hauteur des épaules,
fléchissez les genoux jusqu'à un angle de 90 degrés en gardant la poitrine bombée.

1

2

JAMBES ▸ **ÉLÉVATION DES FESSIERS EN POSITION COUCHÉE** (2 × 12 répétitions)
Couché au sol, les jambes fléchies et les pieds à plat, les bras en appui au sol,
soulevez le bassin afin de former une ligne droite des épaules jusqu'aux genoux,
puis redescendez et effleurez légèrement le sol avec les fessiers.

PECTORAUX ▸ **POMPES AU SOL** (2 × 12 répétitions)
En appui sur les genoux (ou sur les pieds) en position de pompe,
le tronc et la tête bien alignés, faites une extension complète des bras sans bloquer les coudes,
puis fléchissez les coudes jusqu'à ce que la poitrine soit à 1 cm du sol.

1

2

DOS ▶ TRACTION VERTICALE DES BRAS AVEC POIDS (2×12 répétitions)
Les poids dans les mains, le tronc incliné, la poitrine bombée et la tête relevée, faites une traction
des bras en rapprochant les omoplates en fin de contraction.

1

2

ÉPAULES ▶ **ÉLÉVATION LATÉRALE DES BRAS AVEC POIDS** (2 × 12 répétitions)
Les bras allongés avec légère flexion aux coudes, faites une élévation latérale des bras jusqu'à ce que les poids
soient à la hauteur des épaules. Évitez de basculer vers l'arrière et de casser les poignets.
Revenez lentement à la position initiale.

ABDOMINAUX ▶ **DEMI-CRUNCH** (faire le maximum de répétitions)
Couché, les jambes fléchies et les pieds à plat au sol, placez les mains sur la nuque et faites une flexion du tronc sur une amplitude d'environ 30 degrés, puis redescendez au sol.

EXERCICE CARDIOVASCULAIRE

Une fois les exercices musculaires terminés, faites une marche rapide d'une demi-heure ou de la durée équivalente à une dépense calorique supplémentaire d'environ 200 calories.

RETOUR AU CALME

Marchez à un rythme modéré pendant 5 minutes.

ÉTIREMENTS

Achevez cette séance avec les étirements suivants. Maintenez chaque position environ 20 à 30 secondes.

1) PECTORAUX : en position debout, un avant-bras en appui sur le mur, le coude à 90 degrés à la hauteur de l'épaule, faites une rotation du tronc du côté opposé.

2) QUADRICEPS : en position debout, saisissez une cheville et tirez le talon vers la fesse en maintenant les cuisses collées et parallèles.

3) DORSAUX : en position debout ou assise, les bras tendus devant la poitrine, mains liées, poussez devant avec vos bras afin de décoller les omoplates et d'arrondir le haut du dos.

4) ISCHIO-JAMBIERS (arrière de la cuisse) : en position couchée, les jambes fléchies et les pieds à plat au sol, tirez une jambe vers vous à l'aide d'une serviette ou de vos mains sans plier le genou.

5) FESSIERS : en position couchée, croisez une jambe sur le genou opposé. Agrippez l'arrière de votre cuisse avec vos mains et rapprochez le genou vers le tronc en maintenant la tête au sol.

Josée savoure le smoothie aux bleuets

JOUR 1

DÉJEUNER
SMOOTHIE AUX BLEUETS

(par portion) 235 calories, 50 g glucides,
7 g protéines, 1 g lipides

moins de 30 minutes

1

INGRÉDIENTS

125 ml (1/2 tasse) de lait 1 %
60 ml (1/4 tasse) de yogourt allégé aux framboises
125 ml (1/2 tasse) de bleuets frais
30 ml (2 c. à soupe) de jus d'orange sans sucre ajouté
15 ml (1 c. à soupe) de miel

PRÉPARATION

Mettre tous les ingrédients dans le bol du mélangeur
ou du robot culinaire et mélanger jusqu'à l'obtention
d'une texture homogène.

ACCOMPAGNEZ VOTRE REPAS DE (1 portion)

1 tranche de pain aux raisins, grillée + 15 ml (1 c. à soupe)
    de compote de fruits
1 verre d'eau

SEMAINE 1

DÎNER
VELOUTÉ DE CAROTTES

(par portion) 234 calories, 35 g glucides,
8 g protéines, 7 lipides

moins de 30 minutes

moins de 25 minutes

2

INGRÉDIENTS
15 ml (1 c. à soupe) d'huile d'olive
1/2 oignon, haché
375 ml (1 1/2 tasse) de carottes, pelées, en rondelles
375 ml (1 1/2 tasse) de patates douces, pelées, en dés
750 ml (3 tasses) de bouillon de poulet à teneur réduite
    en sodium
5 ml (1 c. à thé) de curcuma moulu
persil frais
poivre noir au goût

PRÉPARATION
1. Dans une casserole, faire revenir l'oignon et le curcuma
dans l'huile pendant environ 2 minutes.
2. Ajouter les carottes, les patates douces et le bouillon
de poulet.
3. Couvrir et laisser mijoter à feu moyen-doux pendant
environ 20 minutes ou jusqu'à ce que les légumes soient
tendres. Passer le potage au mélangeur ou au robot culinaire pour le réduire en purée lisse.
4. Garnir de persil et poivrer.

ACCOMPAGNEZ VOTRE REPAS DE (1 portion)
60 ml (1/4 tasse) de croûtons de blé entier
1 pouding de soya au chocolat (de type Belsoy)

COLLATION (1 portion)
1 barre de protéines de 200 calories (de type Myoplex Lite
au caramel et arachides)

SOUPER
JAMBON À L'ANANAS

(par portion) 297 calories, 32 g glucides,
24 g protéines, 8 g lipides

moins de 30 minutes

environ 25 minutes

2

INGRÉDIENTS
10 ml (2 c. à thé) de moutarde de Dijon
10 ml (2 c. à thé) de miel
30 ml (2 c. à soupe) de jus d'orange sans sucre ajouté
2 ml (1/2 c. à thé) de gingembre frais, haché
210 g (7 oz) de jambon tranché
4 tranches d'ananas frais ou en conserve, égouttées
1 oignon vert, haché
poivre noir au goût

PRÉPARATION
1. Préparer la sauce : dans un petit bol, mélanger la moutarde, le miel, le jus d'orange et le gingembre. Réserver.
2. Dans un plat allant au four, disposer les tranches
de jambon, couvrir de tranches d'ananas puis arroser
de sauce.
3. Parsemer d'oignon haché et poivrer.
4. Cuire au four à 350 °F pendant environ 25 minutes.

ACCOMPAGNEZ VOTRE REPAS DE (1 portion)
10 minicarottes, cuites à la vapeur
80 ml (1/3 tasse) de riz brun, parsemé de persil frais

DÉJEUNER
PAIN D'ÉPICES

(par portion) 221 calories, 41 g glucides,
3 g protéines, 5 g lipides

moins de 30 minutes

environ 1 heure

12 tranches (1 tranche par portion)

INGRÉDIENTS
60 ml (1/4 tasse) d'huile d'olive
1 œuf
125 ml (1/2 tasse) de sucre
500 ml (2 tasses) de farine de blé entier
15 ml (1 c. à soupe) de graines de lin moulues
7 ml (1 1/2 c. à thé) de poudre à lever
5 ml (1 c. à thé) de cannelle moulue
2 ml (1/2 c. à thé) de clou de girofle moulu
5 ml (1 c. à thé) de gingembre confit ou moulu
1 pincée de sel
60 ml (1/4 tasse) de mélasse
60 ml (1/4 tasse) de miel
250 ml (1 tasse) d'eau chaude

PRÉPARATION
1. Dans un grand bol, mélanger l'huile, l'œuf et le sucre.
Réserver.
2. Dans un autre bol, mélanger la farine, les graines de lin
moulues, la poudre à lever, la cannelle, le clou de girofle,
le gingembre et le sel. Réserver.
3. Dans un troisième bol, mélanger la mélasse, le miel et l'eau.
4. Ajouter en alternant le mélange à base de farine et
le mélange liquide au premier mélange d'œuf, puis transférer dans un moule à pain légèrement huilé et cuire
au four à 350 °F pendant environ 1 heure.

ACCOMPAGNEZ VOTRE REPAS DE (1 portion)
175 ml (3/4 tasse) de yogourt allégé à la vanille
175 ml (3/4 tasse) de bleuets frais

COLLATION* (1 portion)
2 craquelins de grains entiers (de type Ryvita)
60 g (2 oz) de cheddar allégé, tranché

* Pour ceux dont le plan alimentaire prévoit plus d'une collation par jour,
  inspirez-vous des collations proposées dans les autres journées.

 DÎNER
Salade Égéenne

(par portion) 336 calories, 13 g glucides,
11 g protéines, 28 g lipides
moins de 30 minutes
2

INGRÉDIENTS
250 ml (1 tasse) de concombre, en dés
1 grosse tomate, en dés
125 ml (1/2 tasse) d'oignon rouge, en dés
12 olives noires, dénoyautées
110 g (175 ml ou 3/4 tasse) de feta, en morceaux
20 g (30 ml ou 2 c. à soupe) de noix de pin rôties
15 ml (1 c. à soupe) d'huile d'olive
5 ml (1 c. à thé) de jus de citron
5 ml (1 c. à thé) de vinaigre de cidre
1 gousse d'ail, émincée*
1 pincée d'origan séché
poivre noir au goût

PRÉPARATION
1. Dans un saladier, mélanger le concombre, la tomate,
l'oignon, les olives et la feta.
2. Dans un petit bol, émulsionner l'huile, le jus de citron,
le vinaigre, l'ail, l'origan et le poivre.
3. Verser la vinaigrette sur la salade, mélanger et laisser
reposer un peu avant de servir.

ACCOMPAGNEZ VOTRE REPAS DE (1 portion)
2 craquelins au romarin
1 verre d'eau avec quartiers de citron

* Écraser et laisser reposer 10 minutes avant d'émincer pour en retirer
les bénéfices anticancer. Chaque fois que la recette contient de l'ail,
procéder de la même façon.

SOUPER
FILET DE PORC ET ÉPINARDS

(par portion) 312 calories, 14 g glucides,
30 g protéines, 15 g lipides

environ 2 heures et 30 minutes

environ 35 minutes

2

COUP
DE CŒUR
DANIEL

INGRÉDIENTS

240 g (8 oz) de filet de porc maigre, paré
15 ml (1 c. à soupe) d'huile d'olive
30 ml (2 c. à soupe) de sauce soya légère
15 ml (1 c. à soupe) de miel
15 ml (1 c. à soupe) de jus de citron
1 gousse d'ail, émincée
5 ml (1 c. à thé) de curcuma moulu
poivre noir au goût
750 ml (3 tasses) de pousses d'épinards
4 champignons tranchés
10 ml (2 c. à thé) d'huile d'olive
5 ml (1 c. à thé) de vinaigre de riz
10 ml (2 c. à thé) de graines de sésame

PRÉPARATION

1. Déposer le filet de porc dans un sac de plastique qui se ferme hermétiquement.
2. Préparer la marinade : dans un petit bol, mélanger l'huile d'olive, le curcuma, la sauce soya, le miel, le jus de citron, l'ail et le poivre.
3. Verser le tout dans le sac contenant le filet de porc. Fermer et remuer.
4. Réfrigérer environ 2 heures, puis transférer le filet de porc mariné dans un plat allant au four et couvrir de papier d'aluminium.
5. Cuire au four à 350 °F pendant 30 minutes.
6. Dans une poêle, chauffer l'huile et y faire revenir les épinards et les champignons à feu moyen-doux. Retirer du feu et réserver.
7. Ajouter le vinaigre de riz et mélanger. Parsemer de graines de sésame et répartir dans deux assiettes.
8. Trancher le filet de porc et déposer sur les épinards. Napper du jus de cuisson de la viande.

ACCOMPAGNEZ VOTRE REPAS DE (1 portion)
30 ml (2 c. à soupe) de canneberges séchées
1 verre d'eau

APPRIVOISER SA FAIM

L'acte de manger représente plus qu'un simple moyen de subsister. Vous pouvez y recourir pour répondre à une émotion, comme l'ennui ou le stress, ou encore par gourmandise lorsque vos sens sont sollicités. Avec le début de votre programme d'entraînement et votre plan alimentaire, vous remarquerez des changements dans votre appétit. Il sera alors très important d'écouter votre corps afin d'éviter de faire des excès ou de manquer de « carburant ». Pour vous assurer de manger pour les bonnes raisons, c'est-à-dire pour satisfaire votre faim, voici trois commandements à respecter dès aujourd'hui.

1. BUVEZ BEAUCOUP D'EAU

On ne le répétera jamais assez, s'hydrater est la toute première habitude à adopter pour bien gérer son appétit et doser ses portions (réf. 18 et 19). Le cerveau ne fait pas toujours la distinction entre la faim et la soif (réf. 20). C'est pourquoi il faut éviter à tout prix d'être déshydraté.

2. AYEZ VOTRE MOT À DIRE

Vous pouvez adapter votre menu en tenant compte de vos goûts alimentaires. Profitez-en pour vous procurer des fruits de saison ou répéter une recette que vous avez particulièrement appréciée. Le plaisir de manger est crucial dans une démarche de perte de poids (réf. 21, 22).

3. PRENEZ DES COLLATIONS

On entend dire qu'il faut éviter de manger entre les repas si on veut perdre du poids. Il semblerait toutefois que cela soit souhaitable dans un processus d'amaigrissement (réf. 23). Mangez de moins grandes quantités, mais plus souvent. Les collations combleront votre faim, et vous maintiendrez un bon niveau d'énergie.

JOUR 3
♥

⦿ DÉJEUNER
Crêpe aux fruits

⚖ (par portion) 339 calories, 57 g glucides,
   11 g protéines, 8 g lipides
👨‍🍳 moins de 30 minutes
🍲 moins de 15 minutes
🍽🍴 2 (1 crêpe par portion)

INGRÉDIENTS

175 ml (3/4 tasse) de framboises fraîches ou surgelées
175 ml (3/4 tasse) de bleuets frais ou surgelés
30 ml (2 c. à soupe) de jus d'orange sans sucre ajouté
5 ml (1 c. à thé) de fécule de maïs
125 ml (1/2 tasse) de farine de blé entier
1 œuf
175 ml (3/4 tasse) de lait 1 %
10 ml (2 c. à thé) d'huile d'olive
30 ml (2 c. à soupe) de sirop d'érable

PRÉPARATION

1. Dans une petite casserole, combiner les fruits et
le jus d'orange, et chauffer à feu doux pendant environ
5 minutes.
2. Ajouter la fécule de maïs. Poursuivre la cuisson environ
3 minutes ou jusqu'à ce que le mélange ait la texture d'un
coulis. Retirer du feu et réserver.
3. Dans un bol, fouetter l'œuf et le lait, puis incorporer
la farine.
4. Dans une poêle antiadhésive, faire chauffer la moitié
de l'huile et verser la moitié de la préparation.
5. Cuire 1 minute de chaque côté.
6. Répéter avec l'autre moitié de la préparation.
7. Garnir chaque crêpe de la moitié du coulis de fruits et
de sirop d'érable.

ACCOMPAGNEZ VOTRE REPAS DE (1 portion)
1 tranche (30 g ou 1 oz) de gouda allégé
1 tasse de tisane au citron

SEMAINE 1

DÎNER
PAIN DE SAUMON

🍳 (par portion) 305 calories, 21 g glucides,
  31 g protéines, 10 g lipides
👨‍🍳 moins de 30 minutes
🍲 environ 35 minutes
🍽 2

INGRÉDIENTS
180 g (6 oz) de saumon en conserve dans l'eau, égoutté
60 ml (1/4 tasse) de chapelure à l'italienne
125 ml (1/2 tasse) de lait 1 %
2 œufs
125 ml (1/2 tasse) d'oignon haché
1 branche de céleri, hachée
1/2 poivron rouge, haché
30 ml (2 c. à soupe) de yogourt nature allégé
5 ml (1 c. à thé) d'aneth frais, haché
2 ml (1/2 c. à thé) de curcuma moulu

PRÉPARATION
1. Dans un bol moyen, mélanger le saumon, la chapelure,
le lait, les œufs, l'oignon, le céleri et le poivron. Tasser cette
préparation dans un moule à pain légèrement huilé.
2. Cuire à 350 °F pendant environ 35 minutes.
3. Laisser refroidir un peu, démouler, couper et servir.
4. Dans un petit bol, mélanger le yogourt, l'aneth, le curcuma. Poivrer. Verser sur le pain de saumon.

ACCOMPAGNEZ VOTRE REPAS DE (1 portion)
80 ml (1/3 tasse) de pâtes de blé entier arrosées de 2 ml
  (1/2 c. à thé) d'huile d'olive
125 ml (1/2 tasse) de haricots jaunes cuits à la vapeur

COLLATION (1 portion)
30 g (3 c. à soupe) de graines de soya rôties non salées
45 ml (3 c. à soupe) de canneberges séchées

SOUPER
POULET FARCI AU BRIE

🍳 (par portion) 303 calories, 8 g glucides,
  29 g protéines, 16 g lipides
👨‍🍳 moins de 30 minutes
🍲 moins de 25 minutes
🍽 2

INGRÉDIENTS
2 poitrines de poulet (90 g ou 3 oz) désossées, sans la peau
90 g (3 oz) de brie
30 ml (2 c. à soupe) de canneberges séchées
2 oignons verts, hachés
poivre noir au goût
de la ficelle de cuisine
5 ml (1 c. à thé) d'huile d'olive

PRÉPARATION
1. Sur une planche à découper, aplatir les poitrines
de poulet.
2. Faire fondre le brie au micro-ondes à faible intensité.
3. Dans un bol, mélanger le fromage fondu, les canneberges, les oignons verts et le poivre.
4. Tartiner la moitié du mélange sur chaque escalope, puis
les rouler sur elles-mêmes en les maintenant à l'aide
de ficelle.
5. Dans une poêle antiadhésive, chauffer l'huile
et faire saisir chaque roulade environ 2 minutes
par côté.
6. Déposer dans un plat de cuisson légèrement huilé
et cuire à 425 °F pendant environ 20 minutes.

ACCOMPAGNEZ VOTRE REPAS DE (1 portion)
60 ml (1/4 tasse) de brocoli cuit à la vapeur et
  4 tomates cerises coupées en deux et arrosées
  de 5 ml (1 c. à thé) d'huile d'olive et de 5 ml (1 c. à thé)
  de miel
3 figues séchées

JOUR 4

DÉJEUNER
Sandwich aux œufs

(par portion) 352 calories, 48 g glucides, 15 g protéines, 11 g lipides

moins de 30 minutes

moins de 15 minutes

2

INGRÉDIENTS

2 œufs
20 ml (4 c. à thé) de mayonnaise allégée
5 ml (1 c. à thé) de coriandre fraîche, hachée
1/4 d'oignon, haché
2 ml (1/2 c. à thé) de curcuma moulu
poivre noir au goût
4 tranches de pain multigrain
250 ml (1 tasse) de pousses d'épinards

PRÉPARATION

1. Dans une casserole d'eau bouillante, déposer les œufs avec une cuillère trouée et laisser cuire pendant 10 minutes à petits frémissements.
2. Retirer du feu et transférer les œufs dans un bol d'eau froide. Laisser refroidir environ 10 minutes.
3. Écaler et hacher les œufs.
4. Dans un bol, mélanger les œufs hachés, la mayonnaise, la coriandre, l'oignon, le curcuma et le poivre.
5. Répartir également la préparation aux œufs et les épinards de manière à former deux sandwichs.

ACCOMPAGNEZ VOTRE REPAS DE (1 portion)

1/2 poivron rouge en lanières + 15 ml (1 c. à soupe) de fromage à la crème allégé (aux légumes ou autre)
1 tasse de tisane au citron

SEMAINE 1

DÎNER
CROQUE-MONSIEUR

(par portion) 325 calories, 34 g glucides, 18 g protéines, 12 g lipides

moins de 30 minutes

environ 15 minutes

2

COUP DE CŒUR VÉRONIQUE

INGRÉDIENTS

1 pain ciabatta coupé en deux dans le sens de la longueur
10 ml (2 c. à thé) d'huile d'olive
1 petite tomate, coupée en tranches minces
2 tranches (60 g ou 2 oz chacune) de jambon cuit
1/4 d'oignon rouge, en rondelles
2 tranches (60 g ou 2 oz) de provolone ou de mozzarella allégés
30 ml (2 c. à soupe) de cresson
poivre noir au goût

PRÉPARATION

1. Badigeonner chaque moitié de pain ciabatta de la moitié de l'huile d'olive, puis disposer les tranches de tomate, de jambon, d'oignon et de fromage sur chaque moitié de pain.
2. Cuire au four à 350 °F pendant environ 15 minutes.
3. Garnir de cresson et poivrer.

ACCOMPAGNEZ VOTRE REPAS DE (1 portion)

1/4 de concombre moyen, tranché
1 carré (15 g) de chocolat noir à 70 %

COLLATION (1 portion)

2 mandarines fraîches
175 ml (3/4 tasse) de lait au chocolat 1 %

SOUPER
CASSEROLE D'AUBERGINE

(par portion) 338 calories, 15 g glucides, 21 g protéines, 19 g lipides

moins de 30 minutes

moins de 40 minutes

2

INGRÉDIENTS

5 ml (1 c. à thé) d'huile d'olive
180 g (6 oz) de bœuf haché extra-maigre
1/2 oignon, haché
1 gousse d'ail, émincée
375 ml (1 1/2 tasse) de tomates en dés assaisonnées en conserve
5 ml (1 c. à thé) d'origan séché
poivre noir au goût
2 tasses (500 ml) d'aubergine, en dés
60 g (2 oz) de feta, émiettée

PRÉPARATION

1. Dans une poêle antiadhésive, chauffer l'huile et faire dorer l'aubergine pendant environ 5 minutes. Transférer dans un plat.
2. Dans la même poêle, cuire le bœuf haché, l'oignon et l'ail pendant environ 5 minutes.
3. Égoutter la viande et la remettre dans la poêle. Incorporer les tomates, l'origan, le poivre et l'aubergine.
4. Porter à ébullition et laisser mijoter à feu moyen-doux pendant environ 30 minutes.
5. Parsemer de feta émiettée.

ACCOMPAGNEZ VOTRE REPAS DE (1 portion)

1/2 tranche de pain aux olives, sans beurre
1 tasse de tisane fruitée

CONSEIL

AH... LE PÈSE-PERSONNE !

Histoire de faire le point sur votre progression au cours de ce programme, vous aurez probablement le réflexe de vous peser. N'oubliez pas que le chiffre qui s'affiche sur la balance pourrait porter atteinte à votre motivation et à votre humeur, et qu'il ne constitue qu'un indicateur parmi d'autres. Voici quelques mises en garde relatives à l'interprétation des résultats.

Le poids indiqué par le pèse-personne reflète votre composition corporelle totale, qui comprend l'eau et les autres liquides, le gras, les muscles, les organes et les os. Lors d'une perte de poids jumelant une activité physique régulière et une alimentation équilibrée, le chiffre sur le cadran peut être trompeur. Il ne fait pas la différence entre une livre de gras, une livre de muscle et une livre d'eau. Pourtant, il ne s'agit pas du tout des mêmes composantes. Si vous vous fiez uniquement à cette donnée, il se pourrait que l'aiguille ne penche pas autant vers la gauche que vous le souhaiteriez ! Cela peut s'expliquer par les changements qui surviennent dans votre composition corporelle. La consommation d'eau (vous êtes plus hydraté) et l'augmentation de votre masse musculaire (vous êtes plus fort et plus ferme) peuvent effectivement masquer la perte de gras. Il faut donc être prudent dans l'interprétation des chiffres qui s'affichent sur le pèse-personne et comprendre que le progrès se mesure autrement. Regardez plutôt comment vous vous sentez dans vos vêtements !

Une livre de gras et une livre de muscle, ce n'est pas du tout la même chose puisque le gras occupe presque deux fois plus d'espace que le muscle. Ce qui veut dire qu'une personne qui pèse 160 livres et qui a un faible pourcentage de gras paraîtra plus mince (et sera probablement en meilleure santé) qu'une personne du même poids avec un pourcentage de gras plus élevé.

Un appareil de bio-impédance permet d'évaluer plus précisément votre composition corporelle en mesurant la tension électrique générée par le passage d'un très faible courant dans les tissus de votre corps (réf. 23, 24). Cette analyse détermine la répartition de votre poids, soit la masse adipeuse, la masse maigre, qui comprend les muscles et les os, de même que l'eau contenue dans votre corps. L'appareil estime en plus votre pourcentage de gras et l'équilibre musculaire dans différents segments de votre corps tels vos membres supérieurs et inférieurs, vos côtés droit et gauche ainsi que votre tronc. Ces données permettent de suivre l'évolution de la composition corporelle pendant votre transformation physique.

JOUR 5

SEMAINE 1

DÉJEUNER
Gruau à l'érable

 (par portion) 232 calories, 32 g glucides,
6 g protéines, 7 g lipides
moins de 30 minutes
moins de 5 minutes
 1

INGRÉDIENTS
1 sachet de gruau instantané nature
15 ml (1 c. à soupe) de sirop d'érable
10 g (2 c. à soupe ou 30 ml) d'amandes rôties, émiettées
2 ml (1/2 c. à thé) de cannelle moulue

PRÉPARATION
1. Préparer le gruau selon les instructions qui figurent sur l'emballage.
2. Arroser de sirop d'érable, parsemer d'amandes et saupoudrer de cannelle.

ACCOMPAGNEZ VOTRE REPAS DE (1 portion)
30 g (1 oz) de gouda ou de cheddar allégés
175 ml (3/4 tasse) de jus de canneberge non sucré

COLLATION (1 portion)
1 barre tendre aux céréales (de type Kashi)
1 petit yogourt (100 g) allégé aux pêches

DÎNER
Quesadilla aux haricots

 (par portion) 344 calories, 47 g glucides,
13 g protéines, 11 g lipides
moins de 30 minutes
moins de 5 minutes
2

COUP DE CŒUR JOSÉE

INGRÉDIENTS
60 ml (1/4 tasse) de salsa aux tomates douce
125 ml (1/2 tasse) de haricots noirs, rincés et égouttés
1 oignon vert, haché
4 petites tortillas de blé entier
4 champignons, tranchés
20 g (1/4 tasse ou 60 ml) de cheddar allégé, râpé
poivre noir au goût
10 ml (2 c. à thé) d'huile d'olive
coriandre fraîche
30 ml (2 c. à soupe) de crème sure allégée

PRÉPARATION
1. Dans un bol, mélanger la salsa, les haricots noirs et l'oignon vert. Réserver.
2. Répartir la moitié de la préparation et du fromage sur 2 tortillas. Poivrer puis couvrir d'une autre tortilla.
3. Dans une poêle antiadhésive, chauffer la moitié de l'huile et y placer délicatement une quesadilla.
4. Faire griller environ 2 minutes par côté, en aplatissant avec une spatule, puis répéter avec l'autre quesadilla.
5. Couper chaque quesadilla en 4, garnir de coriandre fraîche et servir avec de la crème sure.

ACCOMPAGNEZ VOTRE REPAS DE (1 portion)
1 épi de maïs moyen, cuit à la vapeur avec une pincée de sel
1 verre d'eau

SOUPER
Riz aux crevettes

🕐 (par portion) 352 calories, 56 g glucides,
    21 g protéines, 4 g lipides
👨‍🍳 moins de 30 minutes
🍲 environ 30 minutes
🍽 2

INGRÉDIENTS

5 ml (1 c. à thé) d'huile d'olive
1 branche de céleri, en dés
1/2 poivron rouge, en lanières
1/2 poivron jaune, en lanières
1 gousse d'ail, émincée
1 tomate, en dés
2 ml (1/2 c. à thé) de chili broyé
5 ml (1 c. à thé) de graines de fenouil
poivre noir au goût
100 g (125 ml ou environ 1/2 tasse) de riz à grains longs
    non cuit
150 g (5 oz) de crevettes crues, déveinées et décortiquées
125 ml (1/2 tasse) de jus d'orange sans sucre ajouté

PRÉPARATION

1. Dans une casserole, chauffer l'huile et cuire le céleri,
le poivron et l'ail pendant environ 5 minutes.
2. Ajouter la tomate, les assaisonnements, le riz, les crevettes et le jus d'orange. Mélanger et porter à ébullition.
3. Couvrir et enfourner à 375 °F pendant 20 minutes ou
jusqu'à ce que le riz soit cuit.

ACCOMPAGNEZ VOTRE REPAS DE (1 portion)
80 ml (1/3 tasse) de salade de fruits dans un sirop léger
1 tasse de thé vert

JOUR 6

DÉJEUNER
Barre granola maison

(par portion) 203 calories, 26 g glucides,
6 g protéines, 9 g lipides

moins de 30 minutes

moins de 20 minutes

24 (1 barre par portion)

INGRÉDIENTS

1 œuf
750 ml (3 tasses) de flocons d'avoine
500 ml (2 tasses) d'un mélange de noix rôties non salées
250 ml (1 tasse) de canneberges séchées
250 ml (1 tasse) d'un mélange de fruits séchés
60 g (1/3 tasse ou 80 ml) de chocolat noir à 70 %,
  en morceaux
250 ml (1 tasse) de yogourt nature allégé

PRÉPARATION

1. Dans un petit bol, battre l'œuf avec un fouet. Réserver.
2. Dans un grand bol, mélanger les flocons d'avoine,
les noix, les canneberges, les fruits séchés, le chocolat
et le yogourt.
3. Incorporer l'œuf battu.
4. Déposer la préparation sur une plaque à cuisson recouverte de papier parchemin. Égaliser.
5. Cuire à 325 °F pendant environ 18 minutes (ne pas trop
cuire).
6. Laisser refroidir quelques minutes et couper
en 24 barres.

ACCOMPAGNEZ VOTRE REPAS DE (1 portion)
250 ml (1 tasse) de lait de soya au chocolat
125 ml (1/2 tasse) de mûres fraîches

DÎNER
MINESTRONE

  (par portion) 302 calories, 44 g glucides,
17 g protéines, 7 g lipides

moins de 30 minutes

environ 25 minutes

2

INGRÉDIENTS

15 ml (1 c. à soupe) d'huile d'olive
1 carotte moyenne, pelée, en lanières
1 branche de céleri, en lanières
1 courgette jaune, en lanières
750 ml (3 tasses) de bouillon de bœuf à teneur réduite
    en sodium
5 ml (1 c. à thé) d'épices à l'italienne
1 pomme de terre, pelée, en julienne
125 ml (1/2 tasse) de haricots rouges, rincés et égouttés
125 ml (1/2 tasse) de haricots blancs, rincés et égouttés
8 tomates cerises, coupées en 2
1 oignon vert, haché
poivre noir au goût

PRÉPARATION

1. Dans une grande casserole, chauffer l'huile et y mettre à revenir la carotte, le céleri et la courgette pendant environ 5 minutes.
2. Ajouter le bouillon et les fines herbes. Porter à ébullition.
3. Ramener à feu moyen-doux, ajouter la pomme de terre et laisser mijoter environ 15 minutes ou jusqu'à ce que les légumes soient tendres.
4. Ajouter les haricots et les tomates, et poursuivre la cuisson 10 minutes.
5. Servir dans des bols et garnir d'oignon haché. Poivrer au goût.

ACCOMPAGNEZ VOTRE REPAS DE (1 portion)

1 tranche de pain à grains entiers, sans beurre
1 tasse de thé vert

SOUPER
FAJITAS AU POULET

(par portion) 307 calories, 30 g glucides,
24 g protéines, 10 g lipides

moins de 30 minutes

environ 1 heure

2

INGRÉDIENTS

15 ml (1 c. à soupe) d'huile d'olive
125 ml (1/2 tasse) de pois mange-tout, coupés en deux
1/2 poivron rouge, en lanières
180 g (6 oz) de poitrines de poulet, désossées et
    sans la peau, en lanières
1 oignon vert, haché
15 ml (1 c. à soupe) de coriandre fraîche, hachée
5 ml (1 c. à thé) de sauce soya légère
15 ml (1 c. à soupe) de jus d'orange sans sucre ajouté
5 ml (1 c. à thé) de jus de citron
poivre noir au goût
5 ml (1 c. à thé) de fécule de maïs
2 petites tortillas de blé

PRÉPARATION

1. Dans une poêle antiadhésive, chauffer l'huile et y faire sauter les pois mange-tout et le poivron pendant environ 4 minutes.
2. Ajouter le poulet, l'oignon, la coriandre, la sauce soya, le jus d'orange, le jus de citron et le poivre. Cuire en remuant pendant environ 4 minutes.
3. Ajouter la fécule de maïs et remuer jusqu'à épaississement.
4. Répartir la moitié du mélange sur chaque tortilla et les enrouler.
5. Mettre sur une plaque à cuisson recouverte de papier parchemin et enfourner à 425 °F pendant environ 10 minutes.

ACCOMPAGNEZ VOTRE REPAS DE (1 portion)

1 pomme verte
1 verre d'eau pétillante au citron

COLLATION (1 portion)

15 raisins rouges
2 petits fromages (20 g chacun) allégés
    (de type Babybel)

PRÉVENIR LES CARENCES NUTRITIONNELLES

L'organisme a besoin de plus de quarante nutriments pour bien fonctionner (réf. 25, 26). Parmi eux, les macronutriments (les glucides, les protéines et les lipides) fournissent de l'énergie au corps et doivent être consommés en plus grandes quantités. Les micronutriments, soit les vitamines et les minéraux, participent aux nombreuses fonctions métaboliques du corps, mais n'ont pas de valeur énergétique parce qu'ils ne contiennent pas de calories. Les électrolytes, quant à eux, jouent un rôle dans le maintien de l'hydratation de l'organisme (réf. 27). Il est impératif de manger de façon équilibrée lorsque vous êtes actif puisque l'exercice augmente les besoins pour certains nutriments comme les protéines, les vitamines du groupe B et le zinc. Les menus du programme prévoient les quantités adéquates de tous ces nutriments grâce aux repas et aux collations.

LES GLUCIDES

La consommation de glucides permet de maintenir un taux de sucre optimal dans le sang et donne de l'énergie pour penser, accomplir les tâches quotidiennes et effectuer efficacement les séances d'entraînement tout en protégeant vos réserves de glycogène (les sucres entreposés dans vos muscles et votre foie). On les trouve principalement dans les céréales à grains entiers et les fruits.

LE CALCIUM ET LE FER

Le calcium et le fer sont deux des minéraux qui doivent faire partie de l'alimentation des gens actifs qui veulent perdre du poids. Le calcium contribue à la formation des tissus osseux, et le fer produit l'hémoglobine qui transporte l'oxygène vers les cellules du corps (essentiel lorsqu'on fait de l'exercice). Les produits laitiers et les légumineuses sont de bonnes sources de calcium, tandis que les viandes rouges et les fruits de mer contiennent des quantités importantes de fer.

LE SODIUM ET LE POTASSIUM

L'activité physique augmente les besoins en sodium et en potassium (électrolytes), qui sont éliminés par la transpiration et l'urine. Il faut suffisamment de sodium et de potassium pour maintenir votre niveau d'hydratation et remplacer les pertes. On retrouve le sodium dans le jus de légumes et les fromages, par exemple. Le potassium est présent dans les légumineuses et les pommes de terre.

DÉJEUNER
SANDWICH GRILLÉ AU FROMAGE SUISSE

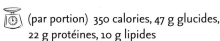 (par portion) 350 calories, 47 g glucides,
22 g protéines, 10 g lipides

moins de 30 minutes

moins de 5 minutes

1

INGRÉDIENTS
2 tranches de pain multigrain
2 tranches (60 g ou 2 oz) de fromage suisse allégé
4 rondelles d'oignon rouge
5 ml (1 c. à thé) de ciboulette fraîche, hachée
poivre noir au goût
5 ml (1 c. à thé) d'huile d'olive
15 ml (1 c. à soupe) de coulis ou sauce de canneberge

PRÉPARATION
1. Préparer le sandwich : garnir de fromage, d'oignon et de ciboulette. Poivrer au goût.
2. Dans une poêle antiadhésive, chauffer l'huile et y faire dorer le sandwich à feu moyen-doux pendant environ 2 minutes chaque côté.
3. Couper en deux et servir avec le coulis ou la sauce de canneberge.

ACCOMPAGNEZ VOTRE REPAS DE (1 portion)
1 prune fraîche
1 tasse de tisane à la menthe

COLLATION (1 portion)
2 petits biscuits (de type Social Tea)
1 yogourt à boire (de type Yop)

SEMAINE 1

◉ DÎNER
POTAGE DE CHOU-FLEUR

(par portion) 240 calories, 30 g glucides,
11 g protéines, 8 g lipides

moins de 30 minutes

environ 25 minutes

2

INGRÉDIENTS

15 ml (1 c. à soupe) d'huile d'olive
125 ml (1/2 tasse) de poireau, haché fin
375 ml (1 1/2 tasse) de bouquets de chou-fleur
375 ml (1 1/2 tasse) de pommes de terre, pelées, en dés
750 ml (3 tasses) de bouillon de poulet à teneur réduite
    en sodium
15 g (environ 2 c. à soupe ou 30 ml) de copeaux de parmesan
poivre noir au goût

PRÉPARATION

1. Dans une casserole, chauffer l'huile et cuire le poireau pendant environ 2 minutes.
2. Ajouter le chou-fleur, les pommes de terre et le bouillon de poulet.
3. Couvrir et laisser mijoter à feu moyen-doux jusqu'à ce que les légumes soient tendres.
4. Passer le potage au mélangeur ou au robot culinaire pour le réduire en purée lisse.
5. Servir dans des bols, garnir de fromage et poivrer.

ACCOMPAGNEZ VOTRE REPAS DE (1 portion)

2 tranches (environ 1 pouce d'épaisseur chacune) de
    baguette + 5 ml (1 c. à thé) de margarine à l'huile d'olive
    non hydrogénée
1 tasse de thé vert

SOUPER
PÂTES À L'INDONÉSIENNE

(par portion) 356 calories, 34 g glucides,
23 g protéines, 14 g lipides

moins de 30 minutes

moins de 20 minutes

2

INGRÉDIENTS

180 g (6 oz) de porc haché maigre
1 gousse d'ail, émincée
125 ml (1/2 tasse) d'oignon, en dés
1 branche de céleri, en dés
125 ml (1/2 tasse) de chou vert, haché fin
375 ml (1 1/2 tasse) de sauce tomate en conserve
15 ml (1 c. à soupe) de sauce soya légère
5 ml (1 c. à thé) de curcuma moulu
poivre noir au goût
100 g (environ 1/2 tasse ou 125 ml) de nouilles de blé
    (fettucini, macaroni, etc.) non cuites

PRÉPARATION

1. Dans une poêle antiadhésive, saisir le porc à feu moyen-
élevé pendant 3 à 4 minutes. Ajouter l'ail, l'oignon et
le curcuma en remuant constamment.
2. Ajouter le céleri et le chou, et cuire pendant environ
3 minutes. Ajouter en remuant la sauce tomate, la sauce
soya et le poivre.
3. Laisser mijoter à feu doux jusqu'au degré de cuisson
désiré.
4. Dans une casserole, porter l'eau à ébullition.
Cuire les pâtes selon les instructions figurant sur
l'emballage.
5. Égoutter les pâtes et les mélanger avec la sauce et
le porc.

ACCOMPAGNEZ VOTRE REPAS DE (1 portion)
1 tomate moyenne, tranchée + 2 ml (1/2 c. à thé) d'huile
    d'olive
1 tasse de thé vert

PIERRE EST PARTI EN LION

DÈS LE PREMIER JOUR, JE SUIS PARTI EN FLÈCHE ET J'AI TOUT
DONNÉ. PEUT-ÊTRE TROP… TROP VITE! J'AI RESSENTI UNE
BAISSE D'ÉNERGIE EN MILIEU DE SEMAINE ET J'AI DÛ PRENDRE
UNE JOURNÉE DE CONGÉ. APRÈS QUOI J'AI PU REPARTIR! ÇA
SE PASSE BIEN POUR LES REPAS, MAIS JE CONSTATE QU'IL FAUT
Y METTRE DU TEMPS. CE QUI N'EST PAS TOUJOURS ÉVIDENT
AVEC MON HORAIRE CHARGÉ, MAIS J'Y ARRIVE TOUT DE MÊME
ASSEZ BIEN. TOUTEFOIS, LE PLUS DIFFICILE, POUR MOI, C'EST
L'ENTRAÎNEMENT… MA CONDITION PHYSIQUE ÉTAIT VRAI-
MENT À SON PLUS BAS AU DÉBUT DU PROGRAMME. JE SENS
UNE AMÉLIORATION RAPIDE, ET C'EST ENCOURAGEANT. ET JE
SUIS ÉPAULÉ PAR MA PETITE FAMILLE, CE QUI M'AIDE BEAU-
COUP. JE SENS QU'ILS SONT FIERS DE MON ENGAGEMENT.
MES FILLES ME POSENT PLUSIEURS QUESTIONS À PROPOS
DE CE QUE J'APPRENDS LORS DE MES RENDEZ-VOUS AVEC LA
NUTRITIONNISTE.

BIEN DOSER LES EFFORTS ET LES PORTIONS

Votre première semaine du programme est terminée, félicitations ! Si vous êtes sur votre lancée, tant mieux. Par contre, si vous êtes dépassé par les changements que vous avez apportés dans vos habitudes, il faut peut-être vous poser quelques questions. Poussez-vous trop loin l'entraînement ? Coupez-vous trop dans l'alimentation dans l'espoir d'obtenir des résultats plus probants ? Si c'est le cas, rajustez le tir immédiatement. Adoptez un rythme que vous serez capable de maintenir pendant toute la durée du programme. Rappelez-vous la première semaine trop chargée de Pierre : il a vite compris qu'il valait mieux y aller un peu plus doucement au début ! Voici quelques recommandations pour vous aider à entamer la deuxième semaine avec brio, en compagnie de Daniel et de Véronique.

Respectez la prescription d'entraînement

Les programmes d'entraînement hebdomadaires sont conçus pour que vous vous entraîniez et bougiez quotidiennement, selon la durée et l'intensité suggérées. Même si vous cherchez à vous surpasser, vous ne gagnerez rien à vous surentraîner, bien au contraire ! Il faut respecter la prescription d'exercices pour la semaine, sans quoi vous risqueriez de vous fatiguer.

Ajustez l'intensité

Pour juger de l'efficacité de vos entraînements, ne vous fiez pas uniquement à votre degré de transpiration, puisque celui-ci varie grandement d'une personne à l'autre et d'une séance à l'autre. Basez-vous plutôt sur votre fréquence cardiaque et votre perception de l'effort. Daniel arrivait très bien à suivre son plan d'entraînement et a senti une amélioration dès la deuxième semaine.

Prenez le temps de vous reposer

De bonnes nuits de sommeil amélioreront votre capacité à récupérer de vos entraînements et votre facilité à suivre le programme. Pendant que vous êtes dans le monde des rêves, vos fibres musculaires se reconstruisent et se développent, favorisant ainsi la récupération. On pense même qu'un sommeil de bonne qualité et de durée suffisante favoriserait le contrôle du poids.

Respectez la prescription alimentaire

Les menus 10-4 sont conçus pour offrir les quantités optimales de nutriments aux repas et aux collations. Au fil du temps, vous avez possiblement perdu la notion des portions. Il faudra donc être attentif pour manger suffisamment, mais sans plus. Pour vous aider à respecter les quantités au menu, servez vos repas dans de plus petites assiettes et mesurez les aliments afin de connaître les portions types (référez-vous au guide des portions d'aliments à la page 208).

Prenez une pause pour la collation

Les collations sont indispensables pour conserver un bon niveau d'énergie, combler votre appétit et récupérer après l'exercice. Sans elles, il est difficile d'être performant au travail et à l'entraînement ! La collation vous soutient jusqu'au prochain repas et vous évite de grignoter ou de vous servir une deuxième assiette. Véronique a goûté à sa barre de protéines chocolatée après l'entraînement, et elle l'a tellement appréciée qu'elle en fera une habitude !

LA MEILLEURE COLLATION DU MONDE POUR VÉRONIQUE

J'AI EU UNE DE CES SEMAINES OÙ LES TENTATIONS ÉTAIENT SANS CESSE AU RENDEZ-VOUS. J'AI DÛ M'ABSTENIR DE PIZZA ET DE FRITES. J'AVOUE AVOIR TROUVÉ CELA TRÈS DIFFICILE, MAIS J'AI SONGÉ À TOUS LES EXERCICES À FAIRE POUR ÉLIMINER ÇA PAR LA SUITE! L'IMPORTANT, C'EST DE NE PAS CÉDER ET DE NE PAS SUCCOMBER À MES TENTATIONS GOURMANDES MOINS NUTRITIVES. DÉJÀ, JE PEUX DIRE QUE L'ACTIVITÉ PHYSIQUE QUE JE PRÉFÈRE EST SANS CONTREDIT LE VÉLO STATIONNAIRE EN GROUPE. LA PREMIÈRE SÉANCE EST DIFFICILE POUR LE «BODY», EN PARTICULIER POUR LE POPOTIN, MAIS APRÈS QUELQUES SÉANCES, ON DEVIENT PLUS ENDURANT. LE BIEN-ÊTRE QU'ON RESSENT À L'INTÉRIEUR EST INEXPLICABLE. C'EST DRÔLE À DIRE, MAIS MÊME SI C'EST SUPER EXIGEANT, ÇA ME CALME LES NERFS! EN PLUS, J'AI DÉCOUVERT LA MEILLEURE COLLATION DU MONDE: UNE BARRE DE PROTÉINES AU CHOCOLAT QUE JE PEUX PRENDRE APRÈS MON ENTRAÎNEMENT. C'EST UN VRAI PÉCHÉ MIGNON POUR LES DENTS SUCRÉES COMME MOI! MA NUTRITIONNISTE M'A APPRIS QUE, LORSQUE J'AI FAIM ET QUE MON ESTOMAC COMMENCE À GARGOUILLER, JE DOIS MANGER. IL VAUT MIEUX PRENDRE CETTE BARRE (QUE J'ADORE) TOUT DE SUITE APRÈS LE GYM QUE D'ARRIVER À LA MAISON ET DE DÉVORER TOUT CE QUI SE TROUVE DANS LE GARDE-MANGER!

PROGRAMME D'ENTRAÎNEMENT

Voici votre programme d'entraînement pour la deuxième semaine de remise en forme. Comme c'était le cas pour la première semaine, vous devrez prévoir, en plus des séances d'entraînement prescrites, une dépense calorique supplémentaire de 200 calories chaque jour. Consultez le tableau 6, page 41, pour des idées d'activités physiques complémentaires.

Aperçu de votre deuxième semaine d'entraînement

Jour 8. 💚
Jour 9. ╫ en circuit et 💚
Jour 10. 💚
Jour 11. ╫ en circuit et 💚
Jour 12. 💚
Jour 13. ╫ en circuit et 💚
Jour 14. 💚

Vos séances 💚 pour les jours 8, 10, 12 et 14

ÉCHAUFFEMENT

Faites une marche dynamique d'une durée d'environ 5 minutes.

EXERCICE CARDIOVASCULAIRE

Enchaînez immédiatement avec une marche rapide, ou une alternance de marche et de course, pendant 45 à 60 minutes. Rappelez-vous qu'il faut dépenser approximativement 350 calories pendant cet effort cardiovasculaire. Consultez le guide de fréquences cardiaques à la page 40 du chapitre 1 afin de calculer la durée nécessaire pour dépenser 350 calories ou, plus simple encore, portez une montre cardio-fréquencemètre qui fera toute cette analyse pour vous ! Au lieu de la marche rapide, vous pouvez faire du cardio au grand air (comme du ski de fond, de la course à pied, du vélo ou de la randonnée pédestre) ou à l'intérieur avec des équipements d'entraînement cardiovasculaire (comme le tapis roulant, l'appareil elliptique ou le simulateur d'escaliers).

RETOUR AU CALME

Effectuez un retour au calme en marchant à un rythme modéré pendant 5 minutes.

Vos séances ╫ en circuit et 💚 pour les jours 9, 11 et 13

ÉCHAUFFEMENT

Marchez ou accomplissez toute autre activité cardiovasculaire à faible intensité pendant une durée d'environ 5 minutes.

EXERCICES MUSCULAIRES

Pour vos exercices musculaires de la semaine, vous aurez besoin d'une paire de poids libres.

Exécutez les exercices musculaires en circuit pendant une vingtaine de minutes. Faites une série de douze répétitions pour chacun des exercices, sans prendre de repos entre les exercices. Après avoir fait tous les exercices, prenez un temps de repos de 3 minutes avant de recommencer le circuit musculaire. Allouez-vous à nouveau une pause de 3 minutes après votre deuxième circuit. La partie d'exercice cardiovasculaire de cette séance suit à la page 93.

JAMBES ▸ **SQUAT** (1 × 12 répétitions)

Les pieds écartés de la largeur du bassin, les bras allongés devant à la hauteur des épaules,
fléchissez les genoux jusqu'à un angle de 90 degrés en gardant la poitrine bombée, puis allongez les jambes.

JAMBES ▸ **ÉLÉVATION DES FESSIERS AVEC POIDS** (1 × 12 répétitions)

Couché au sol, les genoux fléchis et les pieds à plat, placez les poids sur le dessus des hanches, puis soulevez le bassin afin de former une ligne droite des épaules jusqu'aux genoux. Redescendez et effleurez légèrement le sol avec les fesses.

PECTORAUX ▶ **POMPES AU SOL** (1 × 12 répétitions)
En appui sur les genoux (ou sur les pieds) en position de pompe,
le tronc et la tête bien alignés, faites une extension complète des bras sans bloquer les coudes, puis fléchissez
les coudes jusqu'à ce que la poitrine soit à 1 cm du sol.

DOS ▸ TRACTION UNILATÉRALE AVEC POIDS (1 × 12 répétitions)
Les poids dans les mains, le tronc incliné, la poitrine bombée et la tête relevée,
faites une traction unilatérale en rapprochant les omoplates en fin de contraction.
Terminez une série avant d'effectuer le même exercice avec l'autre bras.

1

2

ÉPAULES ▶ **DÉVELOPPÉ DEBOUT AVEC POIDS** (1 × 12 répétitions)
Débutez avec les poids à la hauteur des oreilles et faites une extension verticale des bras
sans bloquer les coudes. Revenez à la position initiale.

ABDOMINAUX ▶ **DEMI-CRUNCH AVEC JAMBES SOULEVÉES** (faire le maximum de répétitions)
Couché au sol, les jambes soulevées, placez les mains sur la nuque, faites une flexion du tronc sur une amplitude d'environ 30 degrés, puis redescendez au sol en maintenant les jambes à la verticale.

EXERCICE CARDIOVASCULAIRE

Une fois les exercices musculaires en circuit terminés, faites une marche rapide, du vélo ou du jogging le temps qu'il faut pour dépenser environ 200 calories de plus.

LE RETOUR AU CALME

Effectuez un retour au calme en marchant à un rythme modéré ou en effectuant une activité physique alter-native pendant une durée approximative de 5 minutes avant de terminer votre entraînement.

ÉTIREMENTS

Achevez cette séance d'entraînement musculaire et cardiovasculaire avec les étirements qui sont proposés ci-dessous. Maintenez chaque position environ 20 à 30 secondes.

1) QUADRICEPS ET FLÉCHISSEURS DE LA HANCHE : en posi-tion de génuflexion, avec le genou au-dessus du talon, amenez le bassin vers l'avant jusqu'au seuil d'étirement. Répétez de l'autre côté.

2) ABDOMEN : couché sur le ventre, les avant-bras au sol avec les coudes près du corps, redressez le tronc. Main-tenez la tête dans le prolongement de la colonne et gardez les épaules détendues.

3) ISCHIO-JAMBIERS (arrière de la cuisse) **:** assis, pliez une jambe vers le côté et appuyez le pied contre la cuisse. En maintenant le dos droit, penchez le corps vers la jambe, les bras allongés. Répétez de l'autre côté.

4) PECTORAUX : debout, entrelacez les doigts dans le dos en bombant la poitrine. Décollez les bras du corps.

5) MOLLETS : debout, une jambe devant avec le genou fléchi et l'autre jambe tendue, appuyez les mains contre un mur. Inclinez le corps vers l'avant en maintenant le talon au sol et la jambe arrière bien tendue. Répétez de l'autre côté.

JOUR 8

♥

DÉJEUNER
MUFFINS CHOCO-BANANE

(par portion) 190 calories, 28 g glucides,
3 g protéines, 7 g lipides

moins de 30 minutes

environ 20 minutes

12 muffins (1 muffin par portion)

INGRÉDIENTS

60 ml (1/4 tasse) d'huile d'olive
1 œuf
60 ml (1/4 tasse) de lait 1 %
2 petites bananes mûres, écrasées
375 ml (1 1/2 tasse) de farine de blé entier
15 ml (1 c. à soupe) de graines de lin moulues
125 ml (1/2 tasse) de sucre
5 ml (1 c. à thé) de poudre à lever
2 ml (1/2 c. à thé) de sel
30 g (60 ml ou 1/4 tasse) de noix de Grenoble,
    hachées
30 g (1 oz ou 2 carrés) de chocolat noir à 70 %, émietté

PRÉPARATION

1. Dans un grand bol, mélanger l'huile, l'œuf, le lait et
les bananes. Réserver.
2. Dans un autre bol, mélanger la farine, les graines de lin
moulues, le sucre, la poudre à lever et le sel.
3. Ajouter les ingrédients secs aux ingrédients humides
en remuant juste assez pour humecter (éviter de trop
mélanger), puis déposer dans un moule à muffins légèrement huilé ou dans des caissettes en papier.
4. Parsemer de morceaux de noix et de chocolat et cuire
au four à 375 °F pendant environ 20 minutes (ne pas
trop cuire).

ACCOMPAGNEZ VOTRE REPAS DE (1 portion)
250 ml (1 tasse) de lait de soya au chocolat
2 kiwis

DÎNER
BALUCHON AU FROMAGE DE CHÈVRE

(par portion) 298 calories, 18 g glucides,
16 g protéines, 17 g lipides

moins de 30 minutes

moins de 25 minutes

2

INGRÉDIENTS

1 œuf
60 ml (1/4 tasse) de lait 1 %
1 pincée d'herbes de Provence
5 ml (1 c. à thé) d'huile d'olive
125 ml (1/2 tasse) de poireau, haché fin
1/2 poivron rouge, en dés
1 gousse d'ail, émincée
250 ml (1 tasse) d'épinards frais, équeutés
175 ml (3/4 tasse) de fromage de chèvre, émietté
2 feuilles de pâte phyllo, décongelées
brins de ciboulette ou ficelle de cuisine
poivre noir au goût

COUP
DE CŒUR
CAMILLA

PRÉPARATION

1. Dans un grand bol, mélanger l'œuf, le lait et les herbes de Provence. Réserver.
2. Dans une poêle antiadhésive, chauffer l'huile et faire cuire le poireau, le poivron et l'ail pendant 2 minutes.
3. Ajouter les épinards et le fromage de chèvre. Prolonger la cuisson 1 minute.
4. Retirer du feu, incorporer au mélange d'œuf et de lait. Poivrer et réserver.
5. Étendre les feuilles de pâte phyllo sur une surface propre et les couper en deux.
6. Étaler deux feuilles de pâte phyllo superposées sur une plaque à cuisson légèrement huilée. Vaporiser d'enduit végétal antiadhésif.
7. Éviter de laisser la pâte phyllo en contact avec l'air plus de quelques minutes, sinon elle s'assèche (couvrir avec un linge propre humide au besoin).
8. Déposer le mélange au centre de chaque feuille de pâte et attacher avec la ciboulette ou la ficelle pour former un baluchon.
9. Faire cuire au four à 375 °F pendant environ 20 minutes.

ACCOMPAGNEZ VOTRE REPAS DE (1 portion)
4 asperges moyennes arrosées de 5 ml (1/2 c. à thé) d'huile d'olive et de 5 ml (1 c. à thé) de vinaigre de vin rouge
1 petit fromage frais (de type Minigo)

COLLATION (1 portion)
1 poire fraîche
1 bâtonnet (environ 21 g) de cheddar

SOUPER

SAUTÉ DE POULET À L'ASIATIQUE

(par portion) 337 calories, 19 g glucides,
26 g protéines, 17 g lipides

moins de 30 minutes

moins de 20 minutes

2

INGRÉDIENTS

125 ml (1/2 tasse) de bouillon de poulet à teneur réduite
    en sodium

15 ml (1 c. à soupe) de vinaigre de riz

15 ml (1 c. à soupe) de sauce soya légère

1 gousse d'ail, émincée

5 ml (1 c. à thé) de gingembre frais, haché

15 ml (1 c. à soupe) de fécule de maïs

15 ml (1 c. à soupe) d'huile d'olive

180 g (6 oz) de poitrines de poulet, désossées et sans
    la peau, en lanières

250 ml (1 tasse) de bouquets de brocoli

1 poivron rouge, en lanières

60 ml (1/4 tasse) de noix de cajou non salées

1 oignon vert, tranché en biais

poivre noir au goût

PRÉPARATION

1. Dans un petit bol, mélanger le bouillon, le vinaigre de
riz, la sauce soya, l'ail, le gingembre et la fécule de maïs.
Réserver.

2. Dans une poêle antiadhésive, chauffer l'huile et saisir
le poulet environ 6 minutes, en remuant régulièrement.

3. Ajouter le brocoli et le poivron en remuant et laisser
cuire environ 3 minutes.

4. Incorporer la sauce et bien mélanger.

5. Faire cuire jusqu'à ce que la sauce soit épaisse, et
les légumes tendres.

6. Parsemer de noix de cajou et d'oignon vert. Poivrer.

ACCOMPAGNEZ VOTRE REPAS DE (1 portion)

15 cerises fraîches

1 verre d'eau aromatisée

JOUR 9

SEMAINE 2

DÉJEUNER
Omelette aux champignons

 (par portion) 323 calories, 8 g glucides,
23 g protéines, 21 g lipides
moins de 30 minutes
moins de 10 minutes
2

INGRÉDIENTS
4 œufs
125 ml (1/2 tasse) de lait 1 %
poivre noir au goût
2 ml (1/2 c. à thé) de persil frais, haché
1 oignon vert, haché
5 gros champignons, hachés
250 ml (1 tasse) d'épinards frais, équeutés
125 ml (1/2 tasse) de cheddar allégé, râpé
15 ml (1 c. à soupe) d'huile d'olive
30 ml (2 c. à soupe) de salsa aux tomates douce

PRÉPARATION
1. Dans un bol, fouetter les œufs, le lait, le poivre et
le persil.
2. Incorporer l'oignon, les champignons, les épinards et
le fromage.
3. Dans une poêle antiadhésive, chauffer l'huile et y faire
cuire l'omelette jusqu'à ce qu'elle soit dorée.
4. Diviser en deux parts et servir avec la salsa.

ACCOMPAGNEZ VOTRE REPAS DE (1 portion)
1 orange, en quartiers
1 tasse de tisane à la camomille

COLLATION (1 portion)
15 ml (1 c. à soupe) de raisins secs
30 ml (2 c. à soupe) d'arachides rôties non salées

DÎNER
Burger mexicain

(par portion) 350 calories, 33 g glucides,
27 g protéines, 12 g lipides

moins de 30 minutes

environ 20 minutes

2

INGRÉDIENTS

1 œuf
180 g (6 oz) de veau haché maigre
15 ml (1 c. à soupe) de salsa aux tomates douce
15 ml (1 c. à soupe) de maïs en conserve, égoutté
5 ml (1 c. à thé) de coriandre fraîche, hachée
poivre noir au goût
2 pains kaiser
1 tomate, tranchée
125 ml (1/2 tasse) d'épinards frais, équeutés
4 rondelles d'oignon rouge
moutarde

PRÉPARATION

1. Dans un grand bol, battre l'œuf avec un fouet.
2. Ajouter le veau, la salsa, le maïs, la coriandre et le poivre.
Façonner deux galettes.
3. Déposer les galettes sur une plaque à cuisson recouverte de papier parchemin.
4. Cuire au four à 425 °F pendant environ 20 minutes.
5. Faire griller les pains (au four ou au grille-pain).
6. Garnir les burgers de tranches de tomate, d'épinards,
de rondelles d'oignon et de moutarde.

ACCOMPAGNEZ VOTRE REPAS DE (1 portion)

4 bâtonnets de céleri et 2 fleurettes de brocoli
+ 30 ml (2 c. à soupe) d'hummus
1 verre d'eau pétillante à la lime

⊘ SOUPER
Riz végétarien épicé

🏋 (par portion) 318 calories, 62 g glucides,
9 g protéines, 3 g lipides

👨‍🍳 moins de 30 minutes

🍲 moins de 30 minutes

🍽 2

INGRÉDIENTS

125 ml (1/2 tasse) de riz brun à grains longs
5 ml (1 c. à thé) d'huile d'olive
125 ml (1/2 tasse) de poireau, haché
1 carotte moyenne, pelée, en dés
1 gousse d'ail, émincée
2 ml (1/2 c. à thé) de curcuma moulu
125 ml (1/2 tasse) de lentilles en conserve, rincées et
   égouttées
poivre noir au goût
175 ml (3/4 tasse) de jus de légume à teneur réduite
   en sodium
2 feuilles de laitue Boston ou romaine (facultatif)

PRÉPARATION

1. Dans une casserole, porter l'eau à ébullition et faire cuire le riz selon les instructions figurant sur l'emballage. Réserver.
2. Dans une poêle antiadhésive, chauffer l'huile et y mettre à revenir le poireau, la carotte, l'ail et le curcuma pendant environ 2 minutes.
3. Ajouter le riz brun et les lentilles et réchauffer quelques minutes. Poivrer.
4. Ajouter le jus de légume et porter à ébullition.
5. Retirer du feu et transférer dans un plat allant au four.
6. Cuire au four à 375 °F pendant environ 10 minutes. Servir la moitié de la préparation sur une feuille de laitue.

ACCOMPAGNEZ VOTRE REPAS DE (1 portion)

1 petite compote de pommes non sucrée
1 tasse de thé vert

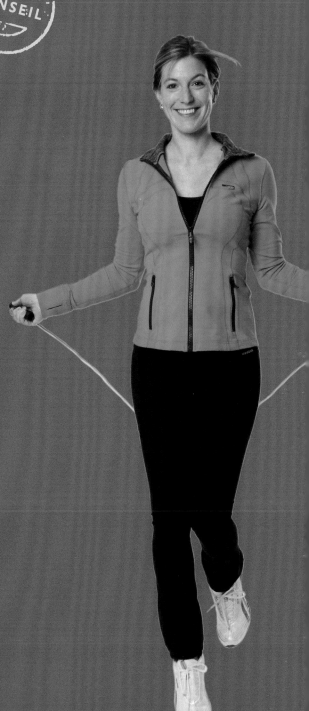

LES COURBATURES...
EST-CE BON SIGNE ?

Toute nouvelle forme d'activité physique, qu'elle soit plus ou moins intense, provoquera invariablement des courbatures musculaires (réf. 26. 27). Alors, si vous n'aviez jamais soulevé de poids ou fait d'exercices cardio-vasculaires auparavant, vous allez découvrir des muscles dont vous ignoriez l'existence ! Rassurez-vous ; ces douleurs s'estompent rapidement pour disparaître complètement après quelques jours.

Contrairement à la croyance populaire, les courbatures ne sont pas dues à la présence d'acide lactique, mais plutôt à l'inflammation des tissus sollicités par l'exécution des nouveaux exercices (réf. 28). Ces « microdéchirures » permettent aux fibres musculaires de se réparer et, ainsi, de se renforcer (réf. 29). L'alimentation et le repos sont cruciaux dans le processus de régénération et de reconstruction des tissus musculaires (réf. 30, 31, 32). Votre plan alimentaire prévoit des apports suffisants en protéines et en glucides pour régénérer vos cellules et favoriser la récupération. Vous devrez, de votre côté, vous assurer d'avoir de bonnes nuits de sommeil.

Pour diminuer la sensation d'inconfort provoquée par les courbatures, prenez un bain chaud. Si la douleur devient insupportable, consultez un médecin. Malgré les courbatures, vous poursuivrez votre programme d'entraînement tel que prévu. D'ailleurs, si cela peut vous encourager, l'exercice cardiovasculaire permettra d'augmenter l'afflux de sang oxygéné vers les régions affectées et réduira la douleur.

JOUR 10

DÉJEUNER
Yogourt-granola

 (par portion) 395 calories, 64 g glucides,
13 g protéines, 10 g lipides

moins de 30 minutes

1

INGRÉDIENTS

175 ml (3/4 tasse) de yogourt allégé à la vanille
125 ml (1/2 tasse) de céréales granola (de type Kashi)
5 ml (1 c. à thé) de miel
2 ml (1/2 c. à thé) de gingembre frais, haché

PRÉPARATION

1. Dans une coupe ou un bol, verser le yogourt et saupoudrer de granola.
2. Arroser d'un filet de miel et parsemer de gingembre haché.

ACCOMPAGNEZ VOTRE REPAS DE (1 portion)

1 tasse de tisane fruitée

DÎNER
Bagel au saumon fumé

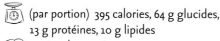

(par portion) 299 calories, 24 g glucides,
27 g protéines, 9 g lipides

moins de 30 minutes

2 (1/2 bagel par portion)

INGRÉDIENTS

1 bagel multigrain
60 ml (1/4 tasse) de fromage à pâte molle allégé (de type Boursin)
6 tranches (environ 210 g ou 7 oz) de saumon grillé ou fumé
1 oignon vert, tranché fin
60 ml (1/4 tasse) de cresson
10 ml (2 c. à thé) de câpres
2 pincées d'aneth frais, haché
poivre noir au goût

PRÉPARATION

1. Couper le bagel en deux moitiés et faire griller au grille-pain ou au four.
2. Tartiner de fromage et garnir de tranches de saumon, d'oignon, de cresson et de câpres.
3. Parsemer d'aneth et poivrer.

ACCOMPAGNEZ VOTRE REPAS DE (1 portion)

1 banane moyenne
1 tasse de thé vert

COLLATION (1 portion)

1 carré (15 g ou 1/2 oz) de chocolat noir à 70 %
250 ml (1 tasse) de lait de soya à la fraise

SOUPER
RAGOÛT DE BŒUF À L'ITALIENNE

(par portion) 334 calories, 17 g glucides,
23 g protéines, 14 g lipides

moins de 30 minutes

environ 1 h 1/4

2

INGRÉDIENTS

15 ml (1 c. à soupe) d'huile d'olive

180 g (6 oz) de cubes de bœuf à ragoût

30 ml (2 c. à soupe) de farine de blé entier

250 ml (1 tasse) de bouillon de bœuf à teneur réduite
en sodium

125 ml (1/2 tasse) de vin rouge

1/2 oignon, tranché fin

2 branches de céleri, tranchées en biais

1 carotte moyenne, tranchée en biais

4 gros champignons, tranchés

2 ml (1/2 c. à thé) d'origan séché

2 ml (1/2 c. à thé) de romarin séché

2 ml (1/2 c. à thé) de persil séché

poivre noir au goût

PRÉPARATION

1. Dans une casserole allant au four, chauffer l'huile et
faire dorer les cubes de bœuf de tous les côtés environ
3 minutes.

2. Saupoudrer de farine et faire cuire à feu moyen en
remuant pendant environ 3 minutes.

3. Ajouter le bouillon, le vin, l'oignon, le céleri, la carotte,
les champignons, l'origan, le romarin, le persil et le poivre
noir.

4. Porter à ébullition, réduire à feu doux et laisser mijoter
environ 5 minutes.

5. Couvrir et enfourner à 350 °F pendant environ
1 heure.

ACCOMPAGNEZ VOTRE REPAS DE (1 portion)

80 ml (1/3 tasse) de pâtes de blé entier (rigatoni ou autres),
cuites

1 tasse de thé vert

JOUR 11

SEMAINE 2

DÉJEUNER
Cake aux dattes

(par portion) 201 calories, 34 g glucides,
3 g protéines, 7 g lipides

moins de 30 minutes

environ 45 minutes

12 tranches (1 tranche par portion)

INGRÉDIENTS
250 ml (1 tasse) de dattes séchées
125 ml (1/2 tasse) de jus d'orange sans sucre ajouté
125 ml (1/2 tasse) d'eau froide
1 œuf
125 ml (1/2 tasse) de sucre brun
80 ml (1/3 tasse) d'huile d'olive
375 ml (1 1/2 tasse) de farine de blé entier
15 ml (1 c. à soupe) de graines de lin moulues
5 ml (1 c. à thé) de bicarbonate de soude
5 ml (1 c. à thé) de poudre à lever

PRÉPARATION
1. Dans une petite casserole, combiner les dattes, le jus d'orange et l'eau.
2. Porter à ébullition, réduire à feu moyen-doux et cuire pendant 5 minutes en brassant de temps en temps.
3. Dans un bol moyen, battre l'œuf avec le sucre et l'huile. Réserver.
4. Dans un autre bol, mélanger la farine, les graines de lin moulues, le bicarbonate de soude et la poudre à pâte.
5. Ajouter les dattes et les ingrédients secs au mélange d'œuf et bien mélanger.
6. Transférer dans un moule à pain légèrement huilé et cuire au four à 350 °F pendant environ 45 minutes.

ACCOMPAGNEZ VOTRE REPAS DE (1 portion)
2 rondelles d'ananas, frais ou en conserve, égouttées
1 petit yogourt à boire (de type Danactive)

 DÎNER
Soupe aux lentilles

(par portion) 348 calories, 55 g glucides,
28 g protéines, 3 g lipides

moins de 30 minutes

environ 25 minutes

2

INGRÉDIENTS
5 ml (1 c. à thé) d'huile d'olive
125 ml (1/2 tasse) d'oignon, haché
1 carotte moyenne, pelée, en dés
1 courgette jaune, en dés
250 ml (1 tasse) d'épinards frais, équeutés
750 ml (3 tasses) de bouillon de bœuf à teneur réduite en sodium
1 tomate, en dés
5 ml (1 c. à thé) de basilic frais ou séché
175 ml (3/4 tasse) de lentilles en conserve, rincées et égouttées
poivre noir au goût

PRÉPARATION
1. Dans une casserole, chauffer l'huile et y faire revenir l'oignon, la carotte et la courgette environ 2 minutes.
2. Ajouter les épinards et poursuivre la cuisson 1 minute.
3. Ajouter le bouillon de bœuf, la tomate et le basilic. Porter à ébullition, puis réduire à feu doux et laisser mijoter environ 10 minutes.
4. Ajouter les lentilles et laisser mijoter 10 minutes.
5. Poivrer.

ACCOMPAGNEZ VOTRE REPAS DE (1 portion)
1/2 pain pita de blé entier, grillé, sans beurre
1 verre d'eau avec quartiers de lime

SOUPER
Morue à l'asiatique

(par portion) 288 calories, 14 g glucides,
24 g protéines, 15 g lipides
moins de 30 minutes
environ 20 minutes
2

INGRÉDIENTS
2 filets de morue, parés (120 g ou 4 oz chacun)
6 grosses asperges vertes, coupées en deux
1/2 oignon, tranché
30 ml (2 c. à soupe) de sauce hoisin
15 ml (1 c. à soupe) de jus d'orange sans sucre ajouté
15 ml (1 c. à soupe) d'huile d'olive
5 ml (1 c. à thé) de gingembre frais, haché
poivre noir au goût

PRÉPARATION
1. Dans un plat allant au four, déposer les filets de morue
et les asperges. Garnir de rondelles d'oignon. Réserver.
2. Dans un petit bol, mélanger la sauce hoisin, le jus
d'orange, l'huile d'olive, le gingembre et le poivre. Verser
sur la morue.
3. Couvrir de papier d'aluminium et enfourner à 350 °F
pendant environ 20 minutes.

ACCOMPAGNEZ VOTRE REPAS DE (1 portion)
125 ml (1/2 tasse) de riz sauvage, cuit
125 ml (1/2 tasse) de jus de légumes à teneur réduite
en sodium

COLLATION (1 portion)
1 pouding de soya au caramel (de type Belsoy)
20 amandes rôties non salées

BOIRE DE L'EAU
POUR PRÉVENIR LES FRINGALES

La déshydratation peut causer des maux de tête, des nausées et de la constipation. D'autres complications peuvent aussi survenir si vous manquez d'eau. Une diminution de votre taux d'hydratation de seulement 1 %, soit à peine quelques millilitres, affecte vos capacités physiques et baisse votre degré d'énergie. De plus, vous risquez de ressentir l'envie de grignoter.

Les femmes doivent boire au moins 2 litres d'eau dans la journée, tandis que les hommes ont intérêt à en prendre un minimum de 2,5 litres par jour. Au-delà de cette hydratation de base, il faut ajouter environ un demi-litre d'eau (500 millilitres) avant chaque séance d'exercice, un autre demi-litre pendant l'activité physique, et encore un demi-litre d'eau après l'entraî-nement, pour compenser les pertes occa-sionnées par la respiration, la transpiration et l'urine.

L'eau joue plusieurs rôles dans l'organisme, comme étancher la soif et rafraîchir. Elle transporte les nutriments, nettoie le sang, lubrifie les tissus et les articulations, en plus de contribuer à maintenir la tem-pérature du corps. Qu'elle provienne du robinet, de source minérale, ou qu'elle soit gazéifiée, citronnée ou aromatisée, il n'y a pas de raison de s'en passer ! Traînez votre bouteille d'eau avec vous et buvez au moins une fois par heure.

JOUR 12

SEMAINE 2

DÉJEUNER
Lait moussant rosé

 (par portion) 213 calories, 36 g glucides,
11 g protéines, 2 g lipides
moins de 30 minutes
1

INGRÉDIENTS

125 ml (1/2 tasse) de lait de soya à la vanille
125 ml (1/2 tasse) de yogourt allégé à la vanille
15 ml (1 c. à soupe) de jus de canneberge non sucré
60 ml (1/4 tasse) de framboises fraîches ou surgelées
2 ml (1/2 c. à thé) de gingembre moulu

PRÉPARATION

Passer tous les ingrédients au mélangeur ou au robot culinaire jusqu'à l'obtention de la texture désirée.

ACCOMPAGNEZ VOTRE REPAS DE (1 portion)
1 barre tendre à l'avoine (de type Val Nature croquante)

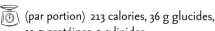 DÎNER
Pizza au poulet grillé

(par portion) 350 calories, 34 g glucides,
29 g protéines, 11 g lipides
moins de 30 minutes
moins de 25 minutes
2 (1 petite pizza par personne)

INGRÉDIENTS

5 ml (1 c. à thé) d'huile d'olive
120 g (4 oz) de poitrines de poulet, désossées et sans
la peau, en petits morceaux
2 petites pâtes à pizza de blé entier ou pitas de blé entier
30 ml (2 c. à soupe) de sauce tomate
1 gousse d'ail, émincée
30 ml (2 c. à soupe) de tomates séchées, hachées
250 ml (1 tasse) de pousses d'épinards, équeutées
125 ml (1/2 tasse) de mozzarella allégée, râpée
poivre noir

PRÉPARATION

1. Dans une poêle antiadhésive, chauffer l'huile et faire saisir les morceaux de poulet environ 3 minutes, en remuant à l'occasion. Retirer du feu et réserver.
2. Sur chaque pâte à pizza (ou pain pita), étendre par couches tous les ingrédients. Poivrer.
3. Déposer sur une plaque à cuisson légèrement huilée. Faire cuire au centre du four à 350 °F pendant environ 20 minutes.

ACCOMPAGNEZ VOTRE REPAS DE (1 portion)
175 ml (3/4 tasse) de nectar de poire

SEMAINE 2

SOUPER
Bouillabaisse de sole

 (par portion) 306 calories, 22 g glucides,
35 g protéines, 9 g lipides
moins de 30 minutes
moins de 20 minutes
2

INGRÉDIENTS
10 ml (2 c. à thé) d'huile d'olive
1/2 oignon, en dés
1/2 courgette verte, hachée
1 gousse d'ail, émincée
2 ml (1/2 c. à thé) de graines de fenouil
375 ml (1 1/2 tasse) de tomates en dés, en conserve,
avec leur jus
4 champignons, en dés
240 g (8 oz) de filets de sole, en morceaux
30 ml (2 c. à soupe) de copeaux de parmesan
poivre noir au goût

PRÉPARATION
1. Dans une poêle antiadhésive, chauffer l'huile et faire
cuire l'oignon, la courgette et l'ail à feu moyen pendant
environ 3 minutes.
2. Ajouter les graines de fenouil, les tomates, les champignons et les morceaux de sole.
3. Porter à ébullition, réduire à feu doux et laisser mijoter
environ 15 minutes.
4. Garnir de copeaux de parmesan. Poivrer.

ACCOMPAGNEZ VOTRE REPAS DE (1 portion)
2 craquelins de blé (de type Melba)
1/2 pomme, tranchée, arrosée de 2 ml (1/2 c. à thé) de miel

COLLATION (1 portion)
750 ml (3 tasses) de maïs soufflé allégé au goût de beurre
250 ml (1 tasse) de lait de soya à la vanille

JOUR 13

COUP DE CŒUR DANIEL

DÉJEUNER
LAIT FRAPPÉ FRUITÉ

 (par portion) 181 calories, 34 g glucides,
8 g protéines, 1 g lipides
moins de 30 minutes
1

INGRÉDIENTS
125 ml (1/2 tasse) de lait 1 %
60 ml (1/4 tasse) de yogourt allégé aux fruits
30 ml (2 c. à soupe) de jus de canneberge non sucré
125 ml (1/2 tasse) de mûres fraîches ou surgelées
5 ml (1 c. à thé) de miel

PRÉPARATION
Mélanger tous les ingrédients et réduire en purée
à l'aide d'un mélangeur ou d'un robot culinaire.

ACCOMPAGNEZ VOTRE REPAS DE (1 portion)
2 galettes de riz à saveur de caramel
15 ml (1 c. à soupe) de beurre de noix naturel

COLLATION (1 portion)
1 pomme verte, coupée en quartiers
20 ml (4 c. à thé) de beurre d'arachide naturel

DÎNER
ASSIETTE PIQUE-NIQUE

 (par portion) 401 calories, 30 g glucides,
43 g protéines, 12 g lipides
 moins de 30 minutes
1

INGRÉDIENTS
125 ml (1/2 tasse) de chou, haché fin
125 ml (1/2 tasse) de carotte, pelée et râpée
5 ml (1 c. à thé) d'huile d'olive
5 ml (1 c. à thé) de vinaigre de vin blanc
5 ml (1 c. à thé) de moutarde de Dijon
2 ml (1/2 c. à thé) de gingembre frais, haché
poivre noir au goût
125 ml (1/2 tasse) de fromage cottage 1 %
1 petite boîte (85 g ou 3 oz) de thon pâle, égoutté
10 minicarottes
10 pois mange-tout
30 ml (2 c. à soupe) de trempette de tofu

PRÉPARATION
1. Dans un saladier, mélanger le chou et la carotte râpée.
2. Dans un petit bol, préparer la vinaigrette : émulsionner
l'huile d'olive, le vinaigre de vin, le gingembre et la moutarde de Dijon.
3. Arroser les légumes de vinaigrette et bien mélanger.
4. Servir dans une assiette la salade de chou, le fromage
cottage, le thon en boîte, les crudités et la trempette
de tofu.

ACCOMPAGNEZ VOTRE REPAS DE (1 portion)
1 tasse de thé vert

SOUPER
 PÂTES À LA MÉDITERRANÉENNE

(par portion) 347 calories, 61 g glucides,
  15 g protéines, 5 g lipides
moins de 30 minutes
moins de 40 minutes
2

INGRÉDIENTS

5 ml (1 c. à thé) d'huile d'olive
2 gousses d'ail, émincées
1 branche de céleri, en dés
1 carotte, en dés
125 ml (1/2 tasse) de chou vert, haché
175 ml (3/4 tasse) de tomates en conserve broyées avec
  leur jus
60 ml (1/4 tasse) de bouillon de légumes à teneur réduite
  en sodium
125 ml (1/2 tasse) de haricots mélangés en conserve, rincés
  et égouttés
5 ml (1 c. à thé) de fines herbes à l'italienne
poivre noir au goût
125 ml (1/2 tasse) de fusilli tricolores aux légumes
30 ml (2 c. à soupe) de mozzarella allégée, râpée

PRÉPARATION

1. Dans une poêle antiadhésive, chauffer l'huile et faire
cuire l'ail, le céleri, la carotte et le chou pendant environ
8 minutes.
2. Ajouter en remuant les tomates, le bouillon de légumes,
les haricots, les fines herbes et le poivre.
3. Porter à ébullition, réduire à feux doux, couvrir et laisser
mijoter environ 20 minutes.
4. Dans une casserole, porter l'eau à ébullition et cuire
les pâtes selon les instructions figurant sur l'emballage.
5. Égoutter les pâtes, les combiner à la sauce et saupoudrer de fromage.

ACCOMPAGNEZ VOTRE REPAS DE (1 portion)

1 petit yogourt (100 g ou 3,5 oz) allégé aux bleuets
1 tasse de tisane aux fruits

LES EXERCICES DE MUSCULATION
POUR PERDRE DU POIDS

On entend souvent dire que, pour perdre du poids, il faut privilégier l'exercice cardio-vasculaire. Cette affirmation n'est pas tout à fait exacte. En fait, l'exercice cardiovasculaire entraîne une augmentation marquée de la fréquence cardiaque, ce qui contribue à brûler un bon nombre de calories dans un court laps de temps. Néanmoins, l'intégration d'exercices de musculation dans votre routine d'entraînement est indispensable pour favoriser l'atteinte et le maintien d'un poids santé, en plus d'améliorer votre forme physique (réf. 33, 34).

1. MINCE ET FERME, OU MINCE ET FLASQUE ?

La musculation rend vos muscles plus résistants et plus forts. L'effet combiné d'une tonification musculaire et d'une perte de gras donne au corps une allure beaucoup plus ferme. Rappelez-vous qu'un poids identique en muscle occupe presque deux fois moins d'espace qu'en gras. En prenant de la masse musculaire et en perdant du gras, vous diminuerez votre tour de taille, de même que la taille de vos hanches et de vos cuisses. Une personne plus musclée portera donc des vêtements plus petits et aura une taille plus fine qu'une personne plus grasse.

2. BEDAINE OU VENTRE PLAT ?

Votre programme d'exercices musculaires permettra non seulement de vous raffermir et d'atténuer vos rondeurs, mais aussi améliorera votre posture. Le simple fait de se tenir plus droit donne l'impression d'une silhouette plus fine et d'un ventre plat.

3. AUGMENTER OU RALENTIR VOTRE MÉTABOLISME AU REPOS ?

Le développement de votre masse musculaire aura un impact positif sur votre métabolisme au repos. C'est encourageant ! Vous brûlerez plus de calories chaque jour. Votre masse musculaire facilitera vos déplacements et vous permettra de pousser davantage l'entraînement. Vous dépenserez ainsi plus d'énergie à l'effort sans ressentir de fatigue. C'est bien ce qu'on recherche, après tout... En plus des bénéfices liés à la perte de poids, les exercices musculaires ont une influence appréciable sur la densité osseuse, l'équilibre, la qualité des articulations et la posture (réf. 35). Allez hop, on tire, on pousse, on soulève et on répète les mouvements... souvent !

DÉJEUNER
Crème budwig

(par portion) 399 calories, 62 g glucides,
9 g protéines, 14 g lipides

moins de 30 minutes

1

INGRÉDIENTS
30 ml (2 c. à soupe) de céréales à grains entiers au choix
15 ml (1 c. à soupe) de graines de lin moulues
30 ml (2 c. à soupe) de noix mélangées non salées
1 petite banane mûre, en morceaux
60 ml (1/4 tasse) de yogourt nature allégé
5 ml (1 c. à thé) d'huile d'olive
5 ml (1 c. à thé) de miel
5 ml (1 c. à thé) de jus de citron

PRÉPARATION
1. Dans un moulin à café, moudre grossièrement
les céréales et les noix.
2. Combiner tous les ingrédients et passer au mélangeur
ou au robot culinaire.

ACCOMPAGNEZ VOTRE REPAS DE (1 portion)
1 tasse de thé vert

COLLATION (1 portion)
1 tranche de pain de grains entiers, grillée, sans beurre
2 petits fromages (environ 17 g chacun) à pâte molle
(de type La Vache qui rit)

DÎNER

CLUB SANDWICH À LA DINDE

(par portion) 351 calories, 33 g glucides,
  32 g protéines, 10 g lipides
moins de 30 minutes
environ 30 minutes
2

INGRÉDIENTS

120 g (4 oz) de poitrine de dinde, désossée et sans la peau
4 tranches de pain de grains entiers
30 ml (2 c. à soupe) d'avocat en purée ou de guacamole
1 petite tomate, tranchée
1/2 oignon rouge, tranché mince
125 ml (1/2 tasse) d'épinards frais, équeutés
2 tranches (60 g ou 2 oz) de cheddar allégé
poivre noir au goût
2 cornichons à l'aneth

PRÉPARATION

1. Cuire les poitrines de dinde au four à 375 °F pendant environ 30 minutes.
2. Retirer du four et laisser refroidir un peu avant de couper en morceaux. Réserver.
3. Faire griller les tranches de pain au grille-pain ou au four.
4. Répartir le guacamole sur 2 tranches de pain, y disposer les morceaux de dinde, les tranches de tomate et d'oignon, les épinards et le fromage.
5. Poivrer. Couvrir avec les autres tranches de pain.
6. Couper chaque sandwich en 4 triangles et servir avec un cornichon.

ACCOMPAGNEZ VOTRE REPAS DE (1 portion)

125 ml (1/2 tasse) de carotte, râpée + 5 ml (1 c. à thé) de jus de citron et de 5 ml (1 c. à thé) de mayonnaise allégée
1 verre d'eau pétillante à la lime

SOUPER
MACARONI AU FROMAGE

(par portion) 345 calories, 48 g glucides,
19 g protéines, 10 g lipides
moins de 30 minutes
moins de 35 minutes
2

INGRÉDIENTS

190 ml (100 g ou environ 3/4 tasse) de pâtes de blé entier
(macaroni ou autres)
5 ml (1 c. à thé) d'huile d'olive
1 gousse d'ail, émincée
175 ml (3/4 tasse) de jus de légumes à teneur réduite
en sodium
175 ml (3/4 tasse) de cheddar fort allégé, râpé
250 ml (1 tasse) de bouquets de chou-fleur
poivre noir au goût
basilic frais, haché

PRÉPARATION

1. Dans une casserole, porter l'eau à ébullition et faire cuire
les pâtes selon les instructions figurant sur l'emballage.
2. Égoutter les pâtes et réserver.
3. Dans une poêle antiadhésive, chauffer l'huile et faire
cuire l'ail environ 1 minute.
4. Ajouter le jus de légumes et mélanger. Incorporer
le fromage râpé et remuer pour le faire fondre.
5. Incorporer le chou-fleur et les pâtes cuites en remuant.
6. Poivrer. Laisser mijoter à feu doux environ 20 minutes.
7. Garnir de basilic haché.

ACCOMPAGNEZ VOTRE REPAS DE (1 portion)

1 tomate moyenne, en quartiers, avec poivre noir moulu
et une pincée de basilic frais ou séché
1 petit yogourt (100 g ou 3,5 oz) allégé aux bleuets

DÉPART CANON POUR DANIEL

À MA GRANDE SURPRISE, TOUT VA BIEN. JE N'AI ABSOLUMENT
AUCUN PROBLÈME À SUIVRE LA FRÉQUENCE DES ENTRAÎNE-
MENTS. JE REMARQUE QUE MA CAPACITÉ DE RÉCUPÉRATION
POUR LE CARDIO S'AMÉLIORE ET QUE JE GAGNE EN RAPIDITÉ
DANS MON CIRCUIT DE MUSCULATION. MA NUTRITIONNISTE
DIT QU'UNE GRANDE PARTIE DE MON SUCCÈS VIENT DU FAIT
QUE JE SUIS TRÈS ORGANISÉ ET MÉTICULEUX. LA SEMAINE,
C'EST GÉNÉRALEMENT MOI QUI POPOTE, ET LE WEEK-END,
C'EST LE TOUR DE MA FEMME. COMME MON SPORTIF D'ADO
MANGE COMME DEUX, ON TRIPLE LES QUANTITÉS DANS LES
RECETTES. IL RESTE SOUVENT UNE PORTION SUPPLÉMEN-
TAIRE. MES ENFANTS ONT AIMÉ LES MUFFINS CHOCO-BANANE
AU DÉJEUNER. J'AI MÊME REÇU D'EUX DES COMMENTAIRES
PAR RAPPORT AU FAIT QU'ON MANGE PLUS VARIÉ QU'AVANT ET
QU'ON DÉCOUVRE DE NOUVEAUX ALIMENTS, COMME LE GIN-
GEMBRE ! TOUT BAIGNE DANS L'HUILE (D'OLIVE, BIEN SÛR...)
POUR LE MOMENT.

À MI-CHEMIN DANS LA DÉMARCHE, RECHERCHER LA VARIÉTÉ

Arrêtez-vous quelques instants pour constater vos efforts et vos progrès. Prenez conscience des efforts déployés et du progrès accompli à ce jour. Vous vous êtes certainement adapté à votre nouvel horaire, à l'effort physique et à la gestion de votre appétit. C'est déjà la troisième semaine qui commence ; ne perdez pas de vue votre cible. Pour y arriver, il faudra de la persévérance et, croyez-le ou non, de la variété !

Il y a un avantage certain à varier le choix d'exercices et d'aliments pour cette avant-dernière semaine. Comme tout allait bien pour nos participants durant la semaine 2, voyons comment se débrouilleront Camilla et Pierre à cette étape-ci.

Assurez une variété d'exercices

Il est motivant de savoir qu'à chaque séance d'entraînement vous dépensez de l'énergie et améliorez votre condition physique. Cependant, pour éviter la monotonie il faut de nouveaux exercices et d'autres types d'appareils. Essayez les cours d'aérobie ou le vélo stationnaire en groupe. Le fait de varier les exercices sollicite les muscles différemment, contribuant ainsi à l'amélioration de votre forme physique et au développement de votre coordination et de votre équilibre.

Avec une routine d'exercice variée, vous augmentez vos chances de persévérer et demeurez motivé. Cela a été le cas pour Véronique, qui s'est lassée d'utiliser le simulateur d'escaliers pour ses séances cardio. Elle a apprécié que son entraîneur lui suggère le vélo stationnaire en groupe. La musique, l'ambiance et l'animation de groupe ont dynamisé sa routine.

CE N'EST PAS TOUJOURS FACILE POUR PIERRE

CETTE TROISIÈME SEMAINE SE DÉROULE SANS PÉPINS, MAIS JE RECONNAIS QUE CE N'EST PAS DE LA TARTE ! JE DOIS ÊTRE TRÈS DISCIPLINÉ, ET CE N'EST PAS TOUJOURS FACILE AVEC MES JOURNÉES BIEN REMPLIES. LE TRAVAIL, LA FAMILLE, LE GYM, LA POPOTE… OUF ! CELA DIT, JE FAIS TOUT MON POSSIBLE POUR TENIR LE CAP. MA FEMME ET MES FILLES AIMENT BIEN LES RECETTES DU MENU. DEPUIS LE DÉBUT DE CETTE AVENTURE, JE N'AI QU'UNE CHOSE EN TÊTE : LES LIVRES EN TROP. MAIS CE N'EST PAS TOUJOURS FACILE À L'ENTRAÎNEMENT À CAUSE DE MES DOULEURS AUX GENOUX. MERCI À MON ENTRAÎNEUR PERSONNEL QUI M'ENCOURAGE À SURMONTER CES DIFFICULTÉS À CHAQUE SÉANCE !

Assurez une variété d'aliments

La diversité dans l'alimentation est tout aussi importante que dans l'entraînement. En goûtant à plusieurs des aliments proposés dans le menu 10-4, vous obtiendrez une gamme complète de nutriments et un répertoire de saveurs intéressantes. Lorsque vous avez sous la main des aliments attrayants, il est plus tentant de sortir les chaudrons et de faire la cuisine. On a raison de croire que les gens qui mangent varié mangent mieux... et moins. Voilà une belle façon de croquer dans la vie à belles dents ! Affichez les recettes 10-4 sur votre frigo, évaluez-les, puis achetez un nouvel aliment à chacune de vos visites à l'épicerie.

PROGRAMME D'ENTRAÎNEMENT

C'est le moment de vous dévoiler le programme d'entraînement pour la troisième semaine de votre transformation. Comme c'était le cas pour les deux premières semaines, vous devrez choisir une autre activité physique pour parvenir à dépenser 200 calories supplémentaires tous les jours, en plus des séances d'exercices proposées. Fiez-vous encore une fois au tableau 6 (page 41) pour déterminer quelles seront les activités physiques complémentaires qui occuperont les sept prochains jours.

Aperçu de votre troisième semaine d'entraînement

Jour 15. 💙 par intervalles
Jour 16. ╫ en circuit et 💙
Jour 17. 💙 en continu
Jour 18. ╫ en circuit et 💙
Jour 19. 💙 par intervalles
Jour 20. ╫ en circuit et 💙
Jour 21. 💙 en continu

Vos séances 💙 par intervalles aux jours 15 et 19

ÉCHAUFFEMENT

Pour votre échauffement, faites une marche dynamique ou accomplissez toute autre activité cardiovasculaire à faible intensité pendant environ 5 minutes.

EXERCICE CARDIOVASCULAIRE PAR INTERVALLES

Commencez avec une marche rapide ou toute autre activité cardiovasculaire, avec des intervalles, afin de bouger entre 45 et 60 minutes. Alternez une période d'effort d'intensité modérée et une d'intensité plus élevée, chacune comptant pour 2 minutes. Répétez cette routine cinq fois, pour un total de 10 minutes d'exercice. Poursuivez avec du cardio à intensité modérée pendant environ 10 minutes. Répétez cette séquence d'intervalles suivie de cardio continu afin d'atteindre la dépense énergétique souhaitée. Avec ces intervalles, votre dépense sera probablement plus élevée que 350 calories, et la durée de la séance sera alors moins longue.

LE RETOUR AU CALME

Marchez à un rythme modéré pendant 5 minutes.

Vos séances 💙 en continu aux jours 17 et 21

ÉCHAUFFEMENT

Marchez à faible intensité pendant environ 5 minutes.

EXERCICE CARDIOVASCULAIRE EN CONTINU

Commencez votre entraînement avec l'activité cardiovasculaire de votre choix, en maintenant une intensité fixe, pendant 45 à 60 minutes. Assurez-vous de dépenser au moins 350 calories au cours de cet exercice. Terminez la séance avec un retour au calme de 5 minutes.

Vos séances ╫ en circuit et 💙 pour les jours 16, 18 et 20

ÉCHAUFFEMENT

Pour votre échauffement, faites une marche dynamique ou accomplissez toute autre activité cardiovasculaire à faible intensité pendant une durée d'environ 5 minutes.

EXERCICES MUSCULAIRES

Pour vos exercices musculaires de la semaine, vous aurez besoin d'une paire de poids libres et d'un ballon d'exercice.

Exécutez les exercices musculaires en circuit environ 20 minutes. Faites une série de 12 répétitions pour chacun des exercices, sans prendre de repos entre les séries. Après avoir fait tous les exercices une fois, prenez un temps de repos de 3 minutes avant de recommencer le circuit musculaire. Allouez-vous à nouveau une pause de 3 minutes après votre deuxième circuit, puis commencez votre exercice cardiovasculaire. La partie d'exercice cardiovasculaire de cette séance suit à la page 129.

1

2

JAMBES ▶ **STEP-UP SANS POIDS SUR UNE PLATEFORME OU UNE MARCHE D'ESCALIER** (1 × 12 répétitions)

Placez un pied sur la marche et faites une extension complète sans bloquer le genou en soulevant le genou de la jambe opposée afin que la cuisse soit parallèle au sol. Revenez à la position initiale. Cet exercice peut s'exécuter unilatéralement ou en alternance.

1

2

JAMBES ▶ **SUMO-SQUAT AVEC POIDS** (1 × 12 répétitions)
Les pieds écartés du double de la largeur du bassin à un angle de 45 degrés,
fléchissez les genoux jusqu'à un angle de 90 degrés, puis faites une extension complète
sans bloquer les genoux.

1

2

PECTORAUX ▸ **DÉVELOPPÉ INCLINÉ AVEC POIDS SUR BALLON** (1 × 12 répétitions)
En appui incliné sur le ballon, les mains en pronation au-dessus de la poitrine et
en maintenant les coudes écartés, fléchissez-les afin d'amener les haltères à 1 cm de la partie supérieure
de la poitrine. Faites une extension complète des bras sans bloquer les coudes.

1

2

DOS ▸ EXTENSION HORIZONTALE DES BRAS AVEC POIDS SUR BALLON (1 × 12 répétitions)
En appui sur le ventre, les bras tendus, les pieds écartés de la largeur du bassin, faites une extension
horizontale des bras en rapprochant les omoplates en fin de contraction. Évitez de casser les poignets.

ÉPAULES ▸ **DÉVELOPPÉ ASSIS SUR BALLON AVEC POIDS** (1 × 12 répétitions)
Assis sur le ballon, débutez avec les poids à la hauteur des oreilles et faites une extension
verticale des bras sans bloquer les coudes. Revenez à la position initiale.

ABDOMINAUX ▶ **DEMI-CRUNCH AVEC BALLON** (faire le maximum de répétitions)
Placez le ballon sur les cuisses et les mains sur le ballon. Faites une flexion du tronc d'une amplitude
d'environ 30 degrés en faisant rouler le ballon vers les genoux.

EXERCICE CARDIOVASCULAIRE

Une fois les exercices musculaires en circuit terminés, faites une marche rapide, du vélo ou du jogging le temps qu'il faut pour dépenser environ 200 calories de plus.

LE RETOUR AU CALME

Effectuez un retour au calme en marchant à un rythme modéré ou en effectuant une activité physique alterna-tive pendant approximativement 5 minutes avant de terminer votre entraînement.

ÉTIREMENTS

Achevez cette séance d'entraînement musculaire et cardiovasculaire avec les étirements qui sont proposés ci-dessous. Maintenez chaque position environ 20 à 30 secondes.

1) ISCHIO-JAMBIERS (arrière de la cuisse) : assis, une jambe fléchie et l'autre allongée, les mains posées derrière, inclinez le corps légèrement vers l'avant. Répétez de l'autre côté.

2) QUADRICEPS : couché sur le ventre, agrippez la cheville gauche avec la main gauche et rapprochez le talon de la fesse en maintenant la tête en appui sur la main droite. Répétez de l'autre côté.

3) LOMBAIRES ET ABDUCTEURS (bas du dos et extérieur de la cuisse) : couché sur le dos, le bras droit reposant au sol et la jambe gauche allongée, amenez le genou droit vers le sol du côté gauche en le tirant avec la main droite. Répétez de l'autre côté.

4) PECTORAUX : debout, un avant-bras en appui sur le mur, le coude à 90 degrés à la hauteur de l'épaule, faites une rotation du tronc du côté opposé. Répétez de l'autre côté.

5) ÉPAULES : rapprochez un bras vers vous en tirant sur le coude avec la main opposée. Maintenez le bras tendu et parallèle au sol. Répétez de l'autre côté.

JOUR 15

DÉJEUNER
MUFFINS AUX CANNEBERGES ET AUX ANANAS

(par portion) 190 calories, 31 g glucides,
3 g protéines, 5 g lipides

moins de 30 minutes

environ 20 minutes

12 muffins (1 muffin par portion)

INGRÉDIENTS
125 ml (1/2 tasse) de sucre
60 ml (1/4 tasse) d'huile d'olive
1 œuf
125 ml (1/2 tasse) d'ananas frais ou en conserve, en dés
175 ml (3/4 tasse) de canneberges séchées
80 ml (1/3 tasse) de yogourt nature allégé
250 ml (1 tasse) de farine de blé entier
175 ml (3/4 tasse) de flocons d'avoine
5 ml (1 c. à thé) de poudre à lever
5 ml (1 c. à thé) de bicarbonate de soude
5 ml (1 c. à thé) de cannelle moulue
5 ml (1 c. à thé) de gingembre moulu

PRÉPARATION
1. Dans un grand bol, mélanger le sucre, l'huile et l'œuf. Ajouter en brassant les canneberges, l'ananas et le yogourt.
2. Dans un autre bol, mélanger la farine, les flocons d'avoine, la poudre à pâte, le bicarbonate de soude et les épices.
3. Incorporer le mélange sec au mélange liquide en remuant juste assez pour humecter.
4. Répartir dans 12 moules à muffins légèrement huilés ou tapissés de caissettes en papier, et cuire au four à 375 °F pendant environ 20 minutes.

ACCOMPAGNEZ VOTRE REPAS DE (1 portion)
250 ml (1 tasse) de lait de soya à la vanille
5 abricots séchés

DÎNER
CROQUETTES DE GOBERGE

(par portion) 327 calories, 16 g glucides,
37 g protéines, 11 g lipides

moins de 30 minutes

environ 10 minutes

2

INGRÉDIENTS
30 ml (2 c. à soupe) de fromage blanc (quark ou autre)
1 œuf
30 ml (2 c. à soupe) de moutarde de Dijon
240 g (8 oz) de goberge hachée
1/4 poivron vert, haché fin
60 ml (1/4 tasse) de chapelure à l'italienne
1 oignon vert, haché fin
30 ml (2 c. à soupe) de mayonnaise allégée
5 ml (1 c. à thé) de jus de citron
2 ml (1/2 c. à thé) de curcuma moulu
ciboulette, hachée

PRÉPARATION
1. Dans un bol, mélanger le fromage, l'œuf, la moutarde, la goberge et le poivron. Ajouter la chapelure et mélanger.
2. Façonner 8 croquettes et déposer sur une plaque à cuisson légèrement huilée. Cuire au four 15 minutes à 350 °F.
3. Dans un petit bol, mélanger l'oignon vert, la mayonnaise, le jus de citron, le curcuma. Poivrer au goût. Servir avec les croquettes et décorer de ciboulette.

ACCOMPAGNEZ VOTRE REPAS DE (1 portion)
125 ml (1/2 tasse) de chou vert, ciselé + 5 ml (1 c. à thé)
d'huile d'olive et de 5 ml (1 c. à thé) de sirop d'érable
1 tasse de tisane

COLLATION (1 portion)
1 barre de protéines de 200 calories (de type Zone Perfect)

SOUPER
CHILI « NON CARNÉ »

🍳 (par portion) 313 calories, 34 g glucides,
    18 g protéines, 12 g lipides
👨‍🍳 moins de 30 minutes
🍲 moins de 30 minutes
🍽 2

INGRÉDIENTS

15 ml (1 c. à soupe) d'huile d'olive
1/2 oignon, haché
1 gousse d'ail, émincée
1/2 poivron vert, en lanières
1/2 poivron jaune, en lanières
250 ml (1 tasse) de haricots rouges en conserve, rincés
    et égouttés
1/2 boîte (environ 250 ml ou 1 tasse) de tomates
    en dés, en conserve, avec leur jus
2 ml (1/2 c. à thé) d'assaisonnement au chili
2 ml (1/2 c. à thé) de chili en flocons ou en poudre
poivre noir au goût
130 g (125 ml ou 1/2 tasse) de tofu nature ferme,
    en dés

PRÉPARATION

1. Dans une poêle antiadhésive, chauffer l'huile et cuire
l'oignon et l'ail pendant environ 3 minutes, puis ajouter les
poivrons et cuire encore 2 minutes en remuant.
2. Ajouter les haricots rouges, les tomates, l'assaisonnement au chili, le chili et le poivre. Mélanger.
3. Porter à ébullition, réduire à feu doux et ajouter le tofu.
Couvrir et laisser mijoter environ 20 minutes.

ACCOMPAGNEZ VOTRE REPAS DE (1 portion)
1 petit pain de blé entier, sans beurre
1 verre d'eau avec quartiers de lime

DÉJEUNER
DEMI-BAGEL TARTINÉ

(par portion) 274 calories, 55 g glucides,
8 g protéines, 3 g lipides

moins de 30 minutes

1

INGRÉDIENTS
1/2 bagel multigrain
15 ml (1 c. à soupe) de fromage à pâte molle (Boursin
allégé ou quark)
poivre noir au goût
1 petite poire, tranchée

PRÉPARATION
1. Couper le bagel en deux. Faire griller un demi-bagel
au grille-pain ou au four.
2. Garnir de fromage, poivrer et couvrir de tranches
de poire.

ACCOMPAGNEZ VOTRE REPAS DE (1 portion)
250 ml (1 tasse) de lait de soya à la fraise

DÎNER
SALADE DE CRABE

(par portion) 293 calories, 14 g glucides,
18 g protéines, 19 g lipides

moins de 30 minutes

2

INGRÉDIENTS
1 gros avocat mûr, dénoyauté, coupé en deux
1/2 concombre moyen, en dés
1 oignon vert, haché
210 g (7 oz) de crabe (ou goberge) cuit
15 ml (1 c. à soupe) de yogourt nature allégé
15 ml (1 c. à soupe) de mayonnaise allégée
15 ml (1 c. à soupe) de jus d'orange sans sucre ajouté
poivre noir au goût
feuilles de menthe fraîche

COUP
DE CŒUR
JOSÉE.

PRÉPARATION
1. Retirer très délicatement la chair de l'avocat. Conserver
les 2 moitiés évidées pour le service.
2. Couper la chair de l'avocat en petits dés et transférer
dans un bol.
3. Ajouter le concombre, l'oignon, le crabe (ou la goberge),
le yogourt, le jus d'orange, la mayonnaise et le poivre.
4. Remplir chaque moitié d'avocat évidée de la préparation
à base de crabe et garnir de feuilles de menthe.

ACCOMPAGNEZ VOTRE REPAS DE (1 portion)
125 ml (1/2 tasse) de laitue frisée arrosée de 5 ml (1 c. à thé)
d'huile d'olive et de 5 ml (1 c. à thé) de vinaigre de riz
1 kiwi

SEMAINE 3

SOUPER
POULET EN PAPILLOTE

 (par portion) 304 calories, 11 g glucides,
28 g protéines, 16 g lipides

moins de 30 minutes

environ 30 minutes

2

INGRÉDIENTS

30 ml (2 c. à soupe) de noix de cajou non salées
2 poitrines de poulet (180 g ou 3 oz chacune),
    désossées et sans la peau, en lanières
250 ml (1 tasse) de pois mange-tout
2 oignons verts, hachés
1 pincée d'estragon séché
poivre noir au goût
30 ml (2 c. à soupe) de bouillon de poulet à teneur
    réduite en sodium
30 ml (2 c. à soupe) de beurre d'arachide naturel

PRÉPARATION

1. Déposer les noix de cajou sur une plaque à
cuisson et faire griller environ 4 minutes au four
en évitant de les brûler.
2. Pendant ce temps, déposer les lanières de poulet
sur deux feuilles de papier d'aluminium d'environ
8 × 8 pouces.
3. Ajouter successivement les pois mange-tout,
les oignons verts et les noix de cajou grillées dans chaque
papillote, puis parsemer d'estragon et poivrer.
4. Préparer la sauce : dans un petit bol, mélanger
le bouillon de poulet et le beurre d'arachide.
5. Relever les 4 côtés des papillotes et verser la sauce à
parts égales dans chacune. Fermer les papillotes et les
déposer sur une plaque à cuisson.
6. Cuire au four à 400 °F pendant environ 30 minutes.

ACCOMPAGNEZ VOTRE REPAS DE (1 portion)
80 ml (1/3 tasse) de pâtes de blé entier (linguini ou autres)
    + 2 ml (1/2 c. à thé) de pesto au basilic
1 tasse de thé vert

COLLATION (1 portion)
1 barre de protéines de 200 calories (de type Myoplex Lite)

CONSEIL

DÉCODER ET DÉCHIFFRER
LES ÉTIQUETTES NUTRITIONNELLES

Les étiquettes nutritionnelles figurant sur l'emballage des aliments comportent des informations qui orienteront vos choix alimentaires. Il suffit de savoir quoi regarder, et le tour est joué ! Pour vous guider dans votre analyse des étiquettes, voici quelques critères à respecter à l'épicerie, peu importe le produit.

GLUCIDES (SUCRES)

Moins de **25 grammes de glucides par portion**. Vous pouvez soustraire les grammes de fibres du total des glucides puisque celles-ci ne sont pas absorbées par l'organisme.

LIPIDES (GRAS)

Au plus **3 grammes de gras saturés** et le **moins possible de gras trans** par portion.

SODIUM (SEL)

Maximum **350 milligrammes** pour la portion suggérée.

Lorsque vous achetez des produits à l'épicerie, consultez la liste des ingrédients pour savoir exactement ce qui se retrouvera dans votre assiette. Cette liste présente en ordre d'importance chacun des ingrédients d'après leur poids respectif (réf. 36). En gros, les cinq premiers ingrédients déterminent la qualité nutritive d'un aliment. Évitez tout ce qui est hydrogéné et modifié, et priorisez les ingrédients entiers et complets. Finalement, s'il y a plusieurs ingrédients inconnus ou difficiles à prononcer, c'est le signe qu'il ne faut pas mettre cet aliment dans votre assiette.

L'ÉTIQUETTE NUTRITIONNELLE

Valeur nutritive par 125 mL (87 g)	
Teneur	% valeur quotidienne
Calories 80	
Lipides 0,5 g	1 %
saturés 0 g	
+ trans 0 g	
Cholestérol 0 mg	
Sodium 0 mg	0 %
Glucides 18 g	0 %
Fibres 2 g	8 %
Sucres 2 g	
Protéines 3 g	
Vitamine A 2 %	**Vitamine C** 10 %
Calcium 0 %	**Fer** 2 %

Santé Canada (www.hc-sc.gc.ca)

Sachez que les pourcentages de la valeur quotidienne (% VQ) dans le tableau de valeur nutritive sont basés sur un régime à 2 000 calories par jour, ce qui ne correspond pas nécessairement à vos besoins nutritionnels. Il vaut mieux se référer aux quantités de nutriments en grammes (g) ou en milligrammes (mg). En fin de compte, le test du goût déterminera si l'aliment en question plaît à vos sens en plus de nourrir votre corps.

JOUR 17

DÉJEUNER
CÉRÉALES ET PETITS FRUITS

(par portion) 395 calories, 73 g glucides,
17 g protéines, 9 g lipides
moins de 30 minutes
aucune cuisson
1

INGRÉDIENTS
175 ml (3/4 tasse) de céréales de son d'avoine
(de type Cheerios)
125 ml (1/2 tasse) de céréales de son de blé
(de type All Bran)
15 ml (1 c. à soupe) de graines de lin moulues
80 ml (1/3 tasse) de bleuets frais
80 ml (1/3 tasse) de framboises fraîches
250 ml (1 tasse) de lait 1 %

PRÉPARATION
Dans un bol, combiner tous les ingrédients.
Verser le lait.

ACCOMPAGNEZ VOTRE REPAS DE (1 portion)
1 verre d'eau aromatisée

COLLATION (1 portion)
1 bouteille (591 ml) de boisson énergétique
(de type Gatorade au raisin) +
30 ml (2 c. à soupe) de poudre de petit lait à la vanille
(de type Better Whey)

DÎNER
LASAGNE AUX TROIS FROMAGES

(par portion) 349 calories, 38 g glucides,
27 g protéines, 10 g lipides
moins de 30 minutes
environ 50 minutes
2

COUP
DE CŒUR
VÉRONIQUE

INGRÉDIENTS
250 ml (1 tasse) d'épinards frais, équeutés
125 ml (1/2 tasse) de fromage cottage 1 %
poivre noir au goût
4 pâtes (175 g) à lasagne de blé entier
250 ml (1 tasse) de sauce tomate
175 ml (3/4 tasse) de mozzarella allégée, râpée
30 ml (2 c. à soupe) de parmesan râpé
1 oignon vert, haché

PRÉPARATION
1. Dans un bol, mélanger les épinards, le cottage et
le poivre. Réserver.
2. Dans une casserole, porter l'eau à ébullition et faire
cuire les pâtes selon les instructions figurant sur l'emballage. Égoutter et réserver.
3. Dans un moule à pain, étaler un tiers de la sauce tomate
et couvrir de 2 pâtes à lasagne.
4. Verser un autre tiers de la sauce, ajouter les épinards,
puis couvrir avec les 2 autres pâtes à lasagne et le reste
de la sauce tomate.
5. Parsemer de mozzarella, de parmesan et
d'oignon. Cuire au four à 350 °F pendant environ
40 minutes.

ACCOMPAGNEZ VOTRE REPAS DE (1 portion)
250 ml (1 tasse) de melon d'eau garni de menthe hachée
1 tasse de tisane fruitée

Poisson des îles

(par portion) 324 calories, 24 g glucides,
27 g protéines, 14 g lipides

moins de 30 minutes

environ 20 minutes

2

INGRÉDIENTS

2 filets de pangasius de 120 g (4 oz) chacun
10 ml (2 c. à thé) d'huile d'olive
1 oignon vert, haché fin
1 pincée d'estragon séché
80 ml (1/3 tasse) d'amandes rôties, hachées
poivre noir au goût
30 ml (2 c. à soupe) de miel
30 ml (2 c. à soupe) de moutarde de Dijon
30 ml (2 c. à soupe) de jus tropical sans sucre

PRÉPARATION

1. Sur une plaque à cuisson tapissée de papier parchemin,
placer les filets de poisson et badigeonner d'huile. Ajouter
l'oignon vert, l'estragon, les amandes et le poivre. Presser
doucement pour bien faire adhérer à la chair.
2. Cuire au four à 375 °F pendant environ 20 minutes.
3. Préparer la sauce : dans un bol, mélanger le miel,
la moutarde et le jus. Verser sur le poisson et servir.

ACCOMPAGNEZ VOTRE REPAS DE (1 portion)

250 ml (1 tasse) de pois mange-tout, cuits à la vapeur
2 petits biscuits secs au gingembre

JOUR 18

DÉJEUNER
TOAST ET BEURRE D'AMANDE

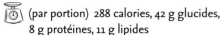

(par portion) 288 calories, 42 g glucides,
8 g protéines, 11 g lipides

moins de 30 minutes

moins de 5 minutes

1

INGRÉDIENTS
1 tranche de pain de grains entiers
15 ml (1 c. à soupe) de beurre d'amande naturel
1/2 banane mûre, tranchée

PRÉPARATION
1. Griller le pain au grille-pain ou au four.
2. Tartiner de beurre d'amande et garnir de tranches de banane.

ACCOMPAGNEZ VOTRE REPAS DE (1 portion)
175 ml (3/4 tasse) de lait au chocolat 1 %

COLLATION (1 portion)
2 petits biscuits aux dattes (de type Newton)
125 ml (1/2 tasse) de fromage cottage 1 %

DÎNER
CREVETTES EN BROCHETTES

(par portion) 296 calories, 30 g glucides,
26 g protéines, 8 g lipides

environ 1 h 30

environ 15 minutes

2

INGRÉDIENTS
240 g (8 oz) de crevettes, déveinées et décortiquées, crues
15 ml (1 c. à soupe) de jus d'orange sans sucre ajouté
15 ml (1 c. à soupe) de miel
15 ml (1 c. à soupe) d'huile d'olive
1 gousse d'ail, émincée
5 ml (1 c. à thé) de gingembre frais, haché
poivre noir au goût
1/2 poivron rouge, coupé en 8 morceaux
1/2 oignon, coupé en 8 morceaux
2 tranches d'ananas frais ou en conserve, coupées en
8 morceaux
coriandre fraîche

PRÉPARATION
1. Dans un sac hermétique, mettre le jus d'orange, le miel, l'huile, l'ail, le gingembre et le poivre.
2. Ajouter les crevettes. Fermer et remuer.
3. Laisser reposer au frais environ 1 heure.
4. Sur deux brochettes, enfiler en alternance les crevettes, le poivron rouge, l'oignon et l'ananas. Badigeonner de marinade.
5. Cuire au four à 425 °F pendant environ 15 minutes en retournant les brochettes à la mi-cuisson.
6. Garnir de coriandre et servir.

ACCOMPAGNEZ VOTRE REPAS DE (1 portion)
125 ml (1/2 tasse) de riz brun, cuit
1 verre d'eau aromatisée

SOUPER
PAIN DE VIANDE CLASSIQUE

🗜 (par portion) 312 calories, 9 g glucides,
35 g protéines, 13 g lipides

👨‍🍳 moins de 30 minutes

🍲 environ 1 heure

🍽 2

INGRÉDIENTS

300 g (10 oz) de bœuf haché extra-maigre
1/2 oignon, haché
1 branche de céleri, hachée
1 petite carotte, pelée, hachée
2 champignons, hachés
1 œuf
5 ml (1 c. à thé) de gingembre frais, haché
5 ml (1 c. à thé) d'origan séché
poivre noir au goût
30 ml (2 c. à soupe) de pâte de tomate
persil frais

PRÉPARATION

1. Dans un grand bol, mélanger le bœuf haché, l'oignon, le céleri, la carotte, les champignons, l'œuf, le gingembre, l'origan et le poivre.
2. Former un pain avec le mélange. Transférer dans un moule légèrement huilé. Couvrir uniformément de pâte de tomate.
3. Cuire au four à 350 °F pendant environ 1 heure.
4. Garnir de persil frais.

ACCOMPAGNEZ VOTRE REPAS DE (1 portion)

2 petites pommes de terre grelots, cuites au four
125 ml (1/2 tasse) de haricots verts, cuits à la vapeur, arrosés d'un peu de jus de citron

S'ÉCHAUFFER ET S'ÉTIRER, C'EST INDISPENSABLE !

L'échauffement et la séance d'étirements sont deux incontournables d'un programme de mise en forme. Établissons la distinction entre les deux. La période d'échauffement consiste à préparer votre corps à l'effort physique. Faire des mouvements dynamiques comme la marche rapide, le jogging léger ou le vélo à faible intensité augmente progressivement votre fréquence cardiaque et votre température corporelle. Votre rythme cardiaque s'accélère, achemine davantage de sang oxygéné à vos muscles et prépare votre corps à déployer un effort intense. L'échauffement qui précède chacune de vos séances d'entraînement devrait durer environ 5 minutes.

Les étirements, eux, améliorent la souplesse des articulations (réf. 37). Ceux-ci devraient être effectués après vos séances d'entraînement, lorsque les muscles sont échauffés et que les tissus musculaires ont une plus grande capacité à s'assouplir. Prenez note qu'il faut maintenir les positions d'étirement de façon statique pendant 20 à 30 secondes à la fois. Profitez de ce moment pour faire un retour au calme. Détendez-vous en fermant les yeux et faites le vide.

Les périodes d'échauffement vous permettent de prévenir les blessures (réf. 38), tandis que les périodes d'étirements maintiennent la mobilité articulaire en plus d'engendrer une sensation de bien-être après l'effort.

JOUR 19

DÉJEUNER
FRITTATA AUX LÉGUMES

(par portion) 349 calories, 10 g glucides,
19 g protéines, 24 g lipides

moins de 30 minutes

moins de 15 minutes

2

INGRÉDIENTS

15 ml (1 c. à soupe) d'huile d'olive
1/2 oignon rouge, tranché mince
1 gousse d'ail, émincée
250 ml (1 tasse) de cresson, haché
1/2 poivron jaune, tranché mince
4 œufs
60 ml (1/4 tasse) de lait 1 %
2 ml (1/2 c. à thé) d'origan séché
2 ml (1/2 c. à thé) de basilic séché
poivre noir au goût
8 tomates cerises, coupées en 4
125 ml (1/2 tasse) de feta, émiettée

PRÉPARATION

1. Dans une poêle antiadhésive, chauffer l'huile et sauter
l'oignon rouge et l'ail pendant environ 2 minutes.
2. Ajouter le cresson et le poivron jaune, et poursuivre
la cuisson environ 2 minutes. Retirer du feu et réserver.
3. Dans un bol, battre les œufs, le lait, l'origan, le basilic
et le poivre.
4. Verser dans la poêle et cuire à feu moyen pendant
environ 7 minutes.
5. Réduire à feu doux, ajouter les tomates cerises et la feta
émiettée. Cuire jusqu'à ce que le fromage ait fondu.

ACCOMPAGNEZ VOTRE REPAS DE (1 portion)
2 craquelins de grains entiers (de type Ryvita)
1 tasse de thé vert

DÎNER
PANINIS AU POULET

(par portion) 348 calories, 33 g glucides,
29 g protéines et 10 g lipides

moins de 30 minutes

environ 10 minutes

2

INGRÉDIENTS

5 ml (1 c. à thé) d'huile d'olive
150 g (5 oz) de poitrines de poulet, désossées et
sans la peau, en lanières
2 paninis de blé entier
2 tranches (60 g ou 2 oz) de cheddar allégé
10 ml (2 c. à thé) de sauce aux canneberges
1 oignon vert, haché
125 ml (1/2 tasse) de cresson
poivre noir au goût

PRÉPARATION

1. Dans une poêle antiadhésive, chauffer l'huile et cuire
les lanières de poulet environ 10 minutes ou jusqu'à ce
que l'intérieur ait perdu sa teinte rosée. Retirer du feu et
réserver.
2. Couper chaque panini sur la longueur et griller au four
ou au grille-pain. Garnir chaque moitié d'une tranche de
fromage et de la moitié de la sauce aux canneberges.
3. Ajouter la moitié de l'oignon vert, du cresson et
des lanières de poitrine de poulet sur chaque pain.
Poivrer et refermer.

ACCOMPAGNEZ VOTRE REPAS DE (1 portion)
10 minicarottes + 15 ml (1 c. à soupe) de baba ghannouj
1 verre d'eau avec tranches de concombre pelé

SOUPER
Ratatouille réinventée

(par portion) 297 calories, 11 g glucides,
25 g protéines, 17 g lipides

moins de 30 minutes

moins de 45 minutes

2

INGRÉDIENTS

15 ml (1 c. à soupe) d'huile d'olive

1 gousse d'ail, émincée

1/2 courgette, en dés

250 ml (1 tasse) d'aubergine, en dés

6 champignons, en morceaux

240 g (8 oz) de dinde hachée maigre

15 ml (1 c. à soupe) de pâte de tomate

1 tomate moyenne, en dés

250 ml (1 tasse) de thé vert ou de bouillon de légumes
à teneur réduite en sodium

2 ml (1/2 c. à thé) d'origan séché

2 feuilles de laurier

poivre noir au goût

PRÉPARATION

1. Dans une casserole, chauffer l'huile et cuire l'ail, la courgette et l'aubergine pendant environ 5 minutes.

2. Ajouter les champignons et cuire 2 minutes de plus, puis
retirer du feu. Réserver.

3. Dans la même casserole, cuire la dinde jusqu'à ce qu'elle
ait perdu sa teinte rosée. Jeter le gras. Remettre la dinde
dans la casserole avec les légumes.

4. Ajouter la pâte de tomate, la tomate, le thé vert (ou
le bouillon de légumes), l'origan et les feuilles de laurier.

5. Porter à ébullition, réduire à feu doux et laisser mijoter
pendant environ 30 minutes, en remuant de temps
en temps.

6. Retirer du feu. Enlever les feuilles de laurier. Poivrer.

ACCOMPAGNEZ VOTRE REPAS DE (1 portion)

1 tasse (125 ml) de semoule de blé

1 verre d'eau avec quartiers de citron

COLLATION (1 portion)

1 pita de blé entier, coupé en triangles et grillé

30 ml (2 c. à soupe) d'hummus

++ ♡

COUP
DE CŒUR
KARINE

◎ DÉJEUNER
LAIT FOUETTÉ AU RAISIN

⚖ (par portion) 217 calories, 40 g glucides,
7 g protéines, 4 g lipides

👨‍🍳 moins de 30 minutes

🍲 aucune cuisson

🍽 1

INGRÉDIENTS
125 ml (1/2 tasse) de lait 1 %
125 ml (1/2 tasse) de raisins rouges frais
15 ml (1 c. à soupe) de jus de raisin sans sucre ajouté
1/2 banane mûre, écrasée
15 ml (1 c. à soupe) de graines de lin moulues

PRÉPARATION
Passer tous les ingrédients au mélangeur ou au robot culinaire jusqu'à l'obtention de la texture désirée.

ACCOMPAGNEZ VOTRE REPAS DE (1 portion)
1/2 bagel de blé entier, grillé, tartiné d'un cube de fromage (21 g) (de type La Vache qui rit)

SEMAINE 3

DÎNER
Pizza jardinière

🗂 (par portion) 356 calories, 41 g glucides,
15 g protéines, 16 g lipides
👨‍🍳 moins de 30 minutes
🍲 environ 30 minutes
🍽 2

INGRÉDIENTS

2 petites pâtes à pizza de blé entier ou pitas de blé entier
20 ml (4 c. à thé) de pesto au basilic
60 ml (1/4 tasse) de ricotta 1 %
250 ml (1 tasse) de pousses d'épinards
4 gros champignons, tranchés
1/4 d'oignon rouge, en rondelles
60 ml (1/4 tasse) de cheddar allégé, râpé
poivre noir

PRÉPARATION

1. Sur chaque pâte à pizza (ou chaque pita), étendre successivement le pesto, la ricotta, les épinards, les champignons, l'oignon et le cheddar. Poivrer.
2. Placer sur une plaque à cuisson légèrement huilée.
3. Cuire au centre du four à 350 °F pendant environ 30 minutes.

ACCOMPAGNEZ VOTRE REPAS DE (1 portion)

125 ml (1/2 tasse) de laitue Boston arrosée de
5 ml (1 c. à thé) d'huile d'olive et de 5 ml (1 c. à thé)
de vinaigre de cidre
1 verre d'eau gazéifiée

COLLATION (1 portion)

2 gressins au sésame (de type Grissol)
1 petite boîte (85 g) de thon pâle en conserve, assaisonné

SOUPER
Poulet à la marocaine

🗂 (par portion) 326 calories, 32 g glucides,
25 g protéines, 10 g lipides
👨‍🍳 moins de 30 minutes
🍲 environ 40 minutes
🍽 2

INGRÉDIENTS

15 ml (1 c. à soupe) d'huile d'olive
120 g de poitrines de poulet (4 oz chacune), désossées et
sans la peau
30 ml (2 c. à soupe) de bouillon de poulet faible en sodium
1 gousse d'ail, émincée
5 ml (1 c. à thé) de gingembre frais, haché
1 pincée de cannelle moulue
2 ml (1/2 c. à thé) de cumin moulu
poivre noir au goût
1/2 citron, épépiné, tranché mince
12 olives vertes, dénoyautées, coupées en deux
100 ml (environ 70 g) de semoule de blé

PRÉPARATION

1. Dans une poêle antiadhésive, chauffer l'huile et faire saisir les poitrines de poulet pendant environ 2 minutes par côté. Transférer dans un plat allant au four.
2. Préparer la marinade : dans un bol, mélanger l'huile, le bouillon, l'ail, le gingembre, la cannelle, le cumin et le poivre.
3. Verser la marinade sur le poulet. Ajouter les olives et les tranches de citron. Couvrir de papier d'aluminium et cuire au four à 350 °F pendant environ 30 minutes.
4. Pendant ce temps, cuire la semoule selon les instructions figurant sur l'emballage.
5. Servir le poulet avec la semoule et arroser de sauce.

ACCOMPAGNEZ VOTRE REPAS DE (1 portion)

1 gros bouquet de brocoli, cuit à la vapeur
1 mandarine

POUR ÊTRE JEUNE DE CŒUR

Bien que cela paraisse trop beau pour être vrai, il est conseillé de manger du gras, autant pour vos papilles gustatives que pour votre santé cardiovasculaire (réf. 39, 40). Évidemment, tout dépend du type de gras et de la quantité consommée, mais il mérite certainement sa place dans votre alimentation.

Les Italiens, les Grecs, les Espagnols et les Corses ont depuis toujours utilisé de bons gras. Les habitants de la région méditerranéenne consomment du poisson pas moins de trois fois par semaine et se contentent d'un seul repas de viande rouge par semaine (réf. 41). Les Crétois, pour leur part, consommeraient chacun jusqu'à un litre d'huile d'olive par semaine ! Cette façon de se nourrir permet de faire le plein d'acides gras oméga-3 au lieu d'absorber des gras saturés. De plus, les gras oméga-3 réduisent le taux de LDL (qu'on appelle mauvais cholestérol) et de triglycérides dans le sang, et offrent au corps une dose de vitamine E antioxydante (réf. 39 et 42). Les gras saturés, quant à eux, augmentent significativement le taux de LDL sanguin (réf. 39 et 43). Ici, les habitudes alimentaires sont à revoir, puisque les Canadiens consomment en moyenne plus d'une demi-livre de viande rouge et à peine quelques millilitres d'huile d'olive par jour. La cuisine méditerranéenne est non seulement bonne pour la santé, mais aussi succulente.

JOUR 21

SEMAINE 3

DÉJEUNER
ŒUF POCHÉ SUR TOAST

(par portion) 276 calories, 26 g glucides,
17 g protéines, 11 g lipides
moins de 30 minutes
moins de 5 minutes
 1

INGRÉDIENTS
1 tranche de pain de grains entiers
1 œuf
1 tranche (environ 30 g ou 1 oz) de cheddar allégé
5 ml (1 c. à thé) de margarine à l'huile d'olive
    non hydrogénée
poivre noir au goût

PRÉPARATION
1. Griller le pain au grille-pain ou au four. Étaler dessus
la margarine et le fromage.
2. Dans un petit bol, casser l'œuf.
3. Dans une petite casserole, porter l'eau à ébullition,
réduire à feu moyen et plonger délicatement l'œuf dans
l'eau avec une cuillère de bois.
4. Cuire environ 3 minutes.
5. Retirer l'œuf poché de l'eau avec la cuillère, déposer sur
la tranche de pain grillée et poivrer.

ACCOMPAGNEZ VOTRE REPAS DE (1 portion)
250 ml (1 tasse) de lait de soya à la vanille

COLLATION (1 portion)
1 petite compote (100 ml) de pommes
175 ml (3/4 tasse) de lait 1 % chaud + 1 c. à soupe (15 ml)
    de chocolat noir à 70 %, émietté

DÎNER
COUSCOUS AUX LÉGUMINEUSES

(par portion) 325 calories, 60 g glucides,
14 g protéines, 3 g lipides
moins de 30 minutes
moins de 15 minutes
 2

INGRÉDIENTS
5 ml (1 c. à thé) d'huile d'olive
1 gousse d'ail, émincée
1 branche de céleri, coupée en dés
1 carotte moyenne, pelée, coupée en dés
1/2 poivron rouge, en dés
175 ml (3/4 tasse) de bouillon de bœuf réduit en sodium
125 ml (environ 1/2 tasse) de semoule de blé
175 ml (3/4 tasse) de légumineuses en conserve, rincées et
    égouttées
2 ml (1/2 c. à thé) de cumin en poudre
2 ml (1/2 c. à thé) de cannelle moulue
coriandre fraîche, ciselée
poivre noir au goût

PRÉPARATION
1. Dans une poêle antiadhésive, chauffer l'huile et cuire
l'ail, le céleri, la carotte et le poivron 3 minutes. Ajouter
le bouillon de bœuf et porter à ébullition.
2. Hors du feu, incorporer la semoule, les légumineuses,
le cumin et la cannelle. Mélanger.
3. Couvrir jusqu'à ce que la semoule ait absorbé tout
le liquide.
4. Aérer la semoule, garnir de coriandre et poivrer.

ACCOMPAGNEZ VOTRE REPAS DE (1 portion)
1 tangerine
1 verre d'eau

SOUPER
CASSEROLE DE THON

(par portion) 358 calories, 48 g glucides,
22 g protéines, 8 g lipides

moins de 30 minutes

environ 40 minutes

2

INGRÉDIENTS

500 ml (2 tasses) de nouilles aux œufs
1/2 petite boîte de crème de céleri allégée
60 ml (1/4 tasse) d'eau
250 ml (1 tasse) de bouquets de brocoli
2 oignons verts, tranchés fin
90 g (3 oz) de thon pâle en conserve dans l'eau, égoutté
10 olives vertes, coupées en deux
30 ml (2 c. à soupe) de cheddar allégé, râpé
poivre noir au goût

PRÉPARATION

1. Dans une casserole, porter l'eau à ébullition et cuire
les nouilles selon les instructions figurant sur l'emballage.
Égoutter et réserver.
2. Dans un bol moyen, diluer la crème de céleri avec l'eau.
Ajouter le brocoli, les oignons verts, le thon, les olives et
les nouilles cuites. Mélanger.
3. Transférer le mélange dans un moule à pain, saupoudrer
de fromage et poivrer.
4. Cuire au four à 350 °F pendant environ 30 minutes.

ACCOMPAGNEZ VOTRE REPAS DE (1 portion)

175 ml (3/4 tasse) de jus de légumes à teneur réduite
en sodium

UNE AUTRE FAÇON DE VOIR
LES CHOSES POUR CAMILLA

L'APPRÉHENSION QUI M'HABITAIT AU DÉPART S'EST ATTÉNUÉE,
ET J'AI COMPRIS AVEC GRAND PLAISIR QUE JE NE POURRAIS
PLUS JAMAIS REVENIR EN ARRIÈRE. JE SUIS CONVAINCUE QUE
JE VAIS M'ENTRAÎNER POUR LE RESTE DE MES JOURS ET QUE
L'ACTIVITÉ PHYSIQUE FERA DÉSORMAIS PARTIE DE MON EXIS-
TENCE. MON BIEN-ÊTRE PHYSIQUE, LES DOULEURS QUI ONT
DISPARU DANS MES BRAS ET MES ÉPAULES, MES MUSCLES QUI
SE DÉFINISSENT DE JOUR EN JOUR ET QUI ME SUPPORTENT
MIEUX… TOUT ÇA ME FAIT RÉALISER QUE L'EXERCICE EST
NÉCESSAIRE, POUR LE PLAISIR DE VIVRE ET POUR LA SANTÉ.
ET JE SAIS BIEN QUE CETTE ACTIVITÉ, CONTRAIREMENT AUX
AUTRES, DÉPEND ENTIÈREMENT ET UNIQUEMENT DE MOI.

LE SPRINT FINAL AVANT DE FRANCHIR LA LIGNE D'ARRIVÉE

Il ne reste plus qu'une semaine avant la fin du programme. Bravo pour tout le chemin parcouru! Vous avez perdu du poids et vous ressentez certainement un merveilleux sentiment de bien-être physique et mental. Vous êtes maintenant convaincu que bien manger peut être délicieux et satisfaisant. Vous découvrez enfin que l'activité physique régulière est agréable et bienfaisante. Ces prises de conscience sont importantes dans votre quête d'une meilleure santé et d'une silhouette qui vous plaît davantage. Les résultats peuvent toutefois varier grandement d'une personne à une autre, car différents facteurs influencent le potentiel d'amaigrissement.

La perte de poids chez les hommes et les femmes
Vous pourrez constater, en observant les résultats de nos participants, que les métamorphoses entre les hommes et les femmes sont différentes. C'est injuste mais bien réel : le potentiel de perte de poids est généralement plus élevé chez les hommes que chez les femmes. Cela est dû au fait que les hommes ont davantage de fibres musculaires, c'est-à-dire qu'ils sont plus musclés que les femmes. Ils ont donc un métabolisme au repos plus élevé, ce qui leur permet de brûler plus de calories au repos et lors d'un effort physique.

L'âge et la perte de poids

Un autre aspect à considérer dans l'évaluation du potentiel d'amaigrissement est l'âge. Entreprendre un processus de perte de poids dans la vingtaine plutôt que dans la cinquantaine n'entraîne pas les mêmes résultats, puisque le métabolisme au repos a tendance à ralentir avec l'âge. On comprend pourquoi Camilla a dû faire preuve de davantage de patience que les autres participants, qui sont plus jeunes. Certains ont plus de chance que d'autres !

Le poids de départ
et le processus d'amaigrissement

Enfin, le poids initial d'une personne influence la facilité avec laquelle elle maigrit. Une personne qui présente un surplus de poids important perdra du poids plus rapidement qu'une personne plus près de son poids santé. Cela s'explique par le fait que la dépense énergétique au repos et lors de l'exercice est proportionnelle au poids d'un individu. Vous en aurez la preuve lorsque vous comparerez les pertes de poids des participants. C'est une des raisons pour lesquelles, au terme de ces 4 semaines, Daniel a perdu plus de poids que Pierre, et Véronique plus que Josée…

GEORGES N'EST PLUS LE MÊME

Je garderai très longtemps de beaux souvenirs de mon 10-4, comme celui de mon entraîneur me faisant des sourires espiègles pendant l'entraînement en maintenant son attitude de « supérieur militaire » ! Mes vêtements trop serrés sont devenus amples. C'est fou comme je me sens mieux. J'ai un regain de confiance. Les gens se disent inspirés par ma réussite et ils remarquent ma nouvelle silhouette. Je souhaite de tout mon cœur que d'autres puissent se sentir comme moi aujourd'hui. On peut avoir l'impression que c'est magique, comme ce que l'on voit souvent dans les publicités à la télévision. Cependant, je réalise qu'il faut faire un travail sur soi pour changer ses habitudes de vie. Bien que la transformation la plus apparente soit visible à l'œil nu, il va sans dire que c'est à l'intérieur que la métamorphose s'est effectuée.

PROGRAMME D'ENTRAÎNEMENT

Vous êtes prêt à découvrir votre programme d'entraînement pour la quatrième et dernière semaine du Programme 10-4. Comme c'était le cas pour les trois premières semaines d'entraînement, vous devrez dépenser 200 calories supplémentaires chaque jour par l'entremise d'activités physiques complémentaires, en plus des séances d'entraînement 10-4.

Aperçu de votre quatrième semaine d'entraînement

Jour 22. 💜 par intervalles
Jour 23. ╂╂ en circuit et 💜
Jour 24. 💜 en continu
Jour 25. ╂╂ en circuit et 💜
Jour 26. 💜 par intervalles
Jour 27. ╂╂ en circuit et 💜
Jour 28. 💜 en continu

Vos séances 💜 par intervalles aux jours 22 et 26

ÉCHAUFFEMENT

Pour votre échauffement, faites une marche dynamique ou accomplissez toute autre activité cardiovasculaire à faible intensité pendant environ 5 minutes.

EXERCICE CARDIOVASCULAIRE PAR INTERVALLES

Commencez votre exercice cardio avec une marche rapide ou toute autre activité cardiovasculaire, en alternant avec des intervalles, afin de bouger pendant une durée totale de 45 à 60 minutes. Les intervalles amélioreront votre performance et permettront de raccourcir votre entraînement. Pour ces intervalles, alternez entre des périodes d'effort modéré et des périodes d'effort plus intense de 4 minutes chacune. Répétez chaque intervalle trois fois, pour arriver à un total de 24 minutes d'exercice. Terminez avec du cardio à intensité modérée pendant encore environ 10 à 15 minutes. Continuez à bouger jusqu'à ce que vous ayez réussi à dépenser 350 calories.

RETOUR AU CALME

Marchez ou faites une activité physique alternative pendant environ 5 minutes avant de terminer votre séance.

Vos séances 💜 en continu aux jours 24 et 28

ÉCHAUFFEMENT

Marchez ou accomplissez toute autre activité cardiovasculaire à faible intensité pendant environ 5 minutes.

EXERCICE CARDIOVASCULAIRE EN CONTINU

Commencez votre entraînement avec l'activité cardiovasculaire de votre choix, en maintenant une intensité fixe pendant 45 à 60 minutes. N'oubliez pas qu'il faut dépenser environ 350 calories au cours de cet exercice cardiovasculaire. Terminez la séance avec un retour au calme de 5 minutes.

Vos séances ╂╂ en circuit et 💜 pour les jours 23, 25 et 27

ÉCHAUFFEMENT

Marchez ou accomplissez toute autre activité cardiovasculaire à faible intensité pendant environ 5 minutes.

EXERCICES MUSCULAIRES

Pour vos exercices musculaires de la semaine, vous aurez besoin d'une paire de poids libres et d'un ballon d'exercice.

Exécutez les exercices en circuit pendant 20 minutes. Faites une série de 12 répétitions pour chacun des exercices, sans prendre de repos entre les séries. Après avoir fait tous les exercices, prenez un temps de repos de 3 minutes avant de recommencer le circuit musculaire. Allouez-vous à nouveau une pause de 3 minutes après votre deuxième circuit. La partie d'exercice cardiovasculaire de cette séance suit à la page 163.

1

2

JAMBES ▶ **STEP-UP AVEC POIDS SUR UNE PLATEFORME OU UNE MARCHE D'ESCALIER** (1 × 12 répétitions)
Les poids dans les mains (ou sans poids), placez un pied sur la marche et faites une extension complète des jambes, sans bloquer les genoux, puis soulevez le genou de la jambe opposée jusqu'à ce que la cuisse soit parallèle au sol. Revenez à la position initiale. Cet exercice peut s'exécuter unilatéralement ou en alternance.

JAMBES ▸ **SQUAT SAUTÉ** (1 × 12 répétitions)

Fléchissez les genoux à environ 90 degrés et sautez (extension explosive) avec le maximum
de vitesse. N'arrêtez pas entre les répétitions. Si vous avez des problèmes de dos, évitez cet exercice,
et effectuez plutôt un squat sans saut.

2

PECTORAUX ▶ **DÉVELOPPÉ INCLINÉ AVEC POIDS SUR BALLON** (1 × 12 répétitions)
En appui incliné sur le ballon, les mains en pronation au-dessus de la poitrine et
en maintenant les coudes écartés, fléchissez-les afin d'amener les haltères à 1 cm de la partie supérieure
de la poitrine. Faites une extension complète des bras sans bloquer les coudes.

SEMAINE 4

DOS ▸ **SUPERMAN SUR BALLON** (1 × 12 répétitions)
Le bassin en appui sur le ballon, pieds écartés de la largeur du bassin, allongez un bras et la jambe
opposée en faisant une légère extension dorsale. Alternez à chaque répétition.
Si vous avez des problèmes de dos, évitez cet exercice.

1

2

ÉPAULES ▶ **DÉVELOPPÉ ASSIS SUR BALLON AVEC POIDS** (1 × 12 répétitions)
Assis sur le ballon, débutez avec les poids à la hauteur des oreilles et faites une extension verticale
des bras sans bloquer les coudes. Revenez à la position initiale.
Évitez de cambrer le bas du dos.

ABDOMINAUX ▶ **DEMI-CRUNCH AVEC BALLON** (faire le maximum de répétitions)
Placez le bas du dos sur le ballon, le tronc parallèle au sol, et faites une flexion du tronc
sur une amplitude de 30 degrés.

EXERCICE CARDIOVASCULAIRE

Une fois les exercices musculaires en circuit terminés, faites une marche rapide, du vélo ou du jogging le temps qu'il faut pour dépenser environ 200 calories de plus.

LE RETOUR AU CALME

Effectuez un retour au calme en marchant à un rythme modéré ou en effectuant une activité physique alterna-tive pour une durée approximative de 5 minutes avant de terminer votre entraînement.

ÉTIREMENTS

Achevez cette séance d'entraînement musculaire et cardiovasculaire avec les étirements qui sont proposés ci-dessous. Maintenez chaque position environ 20 à 30 secondes.

1) ISCHIO-JAMBIERS (arrière de la cuisse) : debout, tendez une jambe vers l'avant. Appuyer les mains sur l'autre jambe fléchie. Penchez légèrement le corps vers l'avant sans arrondir le dos. Répétez de l'autre côté.

2) FESSIERS : debout, croisez une jambe sur le genou opposé et pousser les fesses vers l'arrière sans arrondir le dos. Prenez appui sur une chaise pour plus de stabilité. Répétez de l'autre côté.

3) HAUT DU DOS : debout ou assis, les bras tendus devant la poitrine, mains croisées, poussez vers l'avant afin de décoller les omoplates et d'arrondir le haut du dos.

4) LOMBAIRES (bas du dos) : debout, les mains en appui sur une chaise, pliez un peu les genoux avant de fléchir le tronc vers l'avant. Évitez de courber le dos.

5) ABDOMEN : couché sur le ventre, les avant-bras au sol avec les coudes près du corps, redressez le tronc. Maintenez la tête dans le prolongement de la colonne et gardez les épaules détendues.

(par intervalles)

DÉJEUNER
PAIN AUX RAISINS ET COTTAGE

(par portion) 22 calories, 30 g glucides,
18 g protéines, 2 g lipides

moins de 30 minutes

aucune cuisson

1

INGRÉDIENTS
1 tranche de pain aux raisins
15 ml (1 c. à soupe) de beurre de pommes (ou compote
de pommes)
125 ml (1/2 tasse) de fromage cottage 1 %

PRÉPARATION
1. Griller la tranche de pain au grille-pain ou au four.
2. Garnir de beurre de pommes (ou compote de pommes)
et servir avec le fromage cottage.

ACCOMPAGNEZ VOTRE REPAS DE (1 portion)
25 raisins rouges sans pépins

COLLATION (1 portion)
1 muffin anglais de blé entier, grillé + 5 ml (1 c. à thé) de miel
30 ml (2 c. à soupe) de fromage à pâte molle (de type
Boursin allégé)

DÎNER
SALADE DU PÊCHEUR

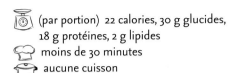

COUP
DE CŒUR
JOSÉE.

(par portion) 293 calories, 10 g glucides,
23 g protéines, 17 g lipides

moins de 30 minutes

aucune cuisson

2

INGRÉDIENTS
750 ml (3 tasses) de mesclun et de pousses d'épinards
1 tomate moyenne, coupée en 8
15 ml (1 c. à soupe) d'huile d'olive
1 oignon vert, haché
15 ml (1 c. à soupe) de yogourt nature allégé
5 ml (1 c. à thé) de vinaigre de vin rouge
5 ml (1 c. à thé) de moutarde de Dijon
5 ml (1 c. à thé) de miel
2 boîtes (100 g chacune) de sardines dans l'eau, égouttées

PRÉPARATION
1. Dans un saladier, déposer le mesclun, les épinards et
la tomate.
2. Préparer la vinaigrette : dans un petit bol, émulsionner
l'huile, l'oignon vert, le yogourt, le vinaigre de vin, la moutarde, le miel et poivrer au goût.
3. Verser la vinaigrette sur la salade. Mélanger.
4. Servir dans 2 assiettes et ajouter le contenu d'une boîte
de sardines sur chaque salade.

ACCOMPAGNEZ VOTRE REPAS DE (1 portion)
3 tranches (1 pouce chacune) de pain croûté +
5 ml (1 c. à thé) de pesto aux tomates séchées

SOUPER
Brochettes de porc

(par portion) 302 calories, 26 g glucides,
31 g protéines, 8 g lipides

moins de 30 minutes

environ 40 minutes

2

INGRÉDIENTS

240 g (8 oz) de filet de porc maigre, paré, en cubes
8 champignons entiers
1 poivron vert, en gros morceaux
1/2 oignon, en gros morceaux
10 ml (3 c. à thé) d'huile d'olive
100 g (1 tasse) de canneberges fraîches ou surgelées
15 ml (1 c. à soupe) de miel
30 ml (2 c. à soupe) de bouillon de bœuf à teneur réduite
    en sodium
30 ml (2 c. à soupe) d'eau
2 ml (1/2 c. à thé) de gingembre frais, haché
poivre noir au goût

PRÉPARATION

1. Sur des brochettes, enfiler en alternance les cubes
de porc, les champignons, le poivron et l'oignon.
Badigeonner de 2 c. à thé d'huile.
2. Cuire au four à 375 °F pendant environ 30 minutes en
retournant les brochettes à la mi-cuisson.
3. Dans une poêle antiadhésive, chauffer l'huile et y faire
cuire à feu moyen-doux les canneberges et le miel,
à couvert, pendant environ 5 minutes.
4. Ajouter le bouillon, l'eau, le gingembre et le poivre.
Poursuivre la cuisson 5 minutes.
5. Garnir de sauce aux canneberges.

ACCOMPAGNEZ VOTRE REPAS DE (1 portion)
60 ml (1/4 tasse) de riz brun à grains longs, cuit
1 tasse de thé vert

JOUR 23
(en circuit)

DÉJEUNER
GÂTEAU AUX AGRUMES

(par portion) 208 calories, 33 g glucides,
4 g protéines, 7 g lipides

moins de 30 minutes

environ 1 heure

10 tranches (1 tranche par portion)

INGRÉDIENTS
375 ml (1 1/2 tasse) de farine de blé entier
5 ml (1 c. à thé) de poudre à lever
5 ml (1 c. à thé) de sel
125 ml (1/2 tasse) de lait 1 %
30 ml (2 c. à soupe) de jus d'orange sans sucre ajouté
60 ml (1/4 tasse) de miel
60 ml (1/4 tasse) d'huile d'olive
125 ml (1/2 tasse) de sucre
2 œufs
5 ml (1 c. à thé) de zeste d'orange
15 ml (1 c. à soupe) de graines de lin moulues
15 ml (1 c. à soupe) de graines de pavot

PRÉPARATION
1. Dans un bol, combiner la farine, la poudre à lever et
le sel. Réserver.
2. Dans un autre bol, mélanger le lait, le jus et le miel.
Réserver.
3. Dans un grand bol, mélanger l'huile et le sucre.
Ajouter les œufs un à la fois, en fouettant après chaque
addition.
4. Ajouter le zeste d'orange, les graines de lin moulues et
les graines de pavot.
5. Incorporer les ingrédients secs et le mélange liquide au
mélange à base d'huile.
6. Verser le mélange dans un moule à pain légèrement
huilé.
7. Cuire au four à 350 °F pendant environ 1 heure.

ACCOMPAGNEZ VOTRE REPAS DE (1 portion)
60 g (2 oz) de mozzarella allégée, tranchée
6 grosses fraises fraîches

COLLATION (1 portion)
10 minicarottes et 1/2 poivron jaune, en lanières + 30 ml
    (2 c. à soupe) de baba ghannouj
30 g (1 oz) de fromage suisse allégé, coupé en cubes

DÎNER
Quinoa en salade

(par portion) 333 calories, 53 g glucides,
13 g protéines, 8 g lipides

moins de 30 minutes

moins de 5 minutes

2

COUP
DE CŒUR
PIERRE

INGRÉDIENTS

100 g (125 ml ou un peu plus de 1/2 tasse) de quinoa

15 ml (1 c. à soupe) de noix de pin

1/2 tomate moyenne, en dés

1 branche de céleri, en dés

175 ml (3/4 tasse) de haricots noirs en conserve, rincés
et égouttés

1 oignon vert, haché

15 ml (1 c. à soupe) de persil frais, haché

5 ml (1 c. à thé) d'huile d'olive

10 ml (2 c. à thé) de jus de lime

poivre noir au goût

PRÉPARATION

1. Dans une casserole, porter 175 ml (3/4 tasse) d'eau à
ébullition. Y verser le quinoa en pluie.

2. Couvrir. Laisser reposer hors du feu pendant environ
10 minutes ou jusqu'à ce que le quinoa ait absorbé toute
l'eau. Aérer les grains de quinoa à la fourchette.

3. Pendant ce temps, griller les noix de pin au four, sur une
plaque à cuisson, en évitant de les faire brûler.

4. Transférer le quinoa dans un bol. Ajouter les noix de
pin grillées, la tomate, le céleri, les haricots noirs, l'oignon
vert, le persil, l'huile d'olive, le jus de lime et le poivre.
Mélanger.

5. Réfrigérer environ 1 heure avant de servir.

ACCOMPAGNEZ VOTRE REPAS DE (1 portion)

6 fraises enrobées de 10 ml (2 c. à thé) de chocolat noir
à 70 %, fondu

SOUPER
Côtelettes de porc à l'érable

(par portion) 324 calories, 29 g glucides,
26 g protéines, 10 g lipides

moins de 30 minutes

moins de 35 minutes

2

INGRÉDIENTS

5 ml (1 c. à thé) d'huile d'olive

2 côtelettes de porc de 120 g (4 oz) chacune

poivre noir au goût

60 ml (1/4 tasse) de sirop d'érable

15 ml (1 c. à soupe) de pâte de tomate

5 ml (1 c. à thé) de moutarde jaune préparée

10 ml (2 c. à thé) de jus de citron

1 gousse d'ail, émincée

PRÉPARATION

1. Dans une poêle antiadhésive, chauffer l'huile et y faire
saisir les côtelettes environ 3 minutes par côté. Poivrer.

2. Placer les côtelettes dans un plat allant au four.

3. Dans un bol, mélanger le sirop d'érable, la pâte de
tomate, la moutarde, le jus de citron et l'ail.

4. Verser la marinade sur les côtelettes et cuire au four à
350 °F pendant environ 25 minutes.

5. Arroser les côtelettes du jus de cuisson.

ACCOMPAGNEZ VOTRE REPAS DE (1 portion)

125 ml (1/2 tasse) de pois mange-tout, cuits à la vapeur

125 ml (1/2 tasse) de lait de riz à la vanille

L'ABANDON DU TABAGISME ET LE GAIN DE POIDS

Vous êtes un fumeur et avez décidé de cesser de fumer ? Votre décision d'écraser pourrait jouer sur votre poids (réf. 44). Pour certains, il s'agit de l'un des principaux freins pour se débarrasser de cette vilaine habitude. Malgré le fait que certains ex-fumeurs prennent des kilos, les études démontrent que, au cours des douze mois suivant l'abandon de la cigarette, il y a un retour au poids initial (réf. 45 et 46). De plus, les ex-fumeurs qui sont actifs contrôlent mieux leur poids que ceux qui demeurent sédentaires (réf. 47).

D'une part, la nicotine augmenterait légèrement le métabolisme au repos, ce qui signifie qu'un fumeur brûle un peu plus de calories au repos qu'un non-fumeur. L'arrêt du tabac ralentirait donc temporairement le métabolisme. D'autre part, l'arrêt du tabac stimule les sens et l'appétit, ce qui peut contribuer à la prise de poids. L'activité physique permet de contrer ces effets en dépensant plus de calories au quotidien, en occupant votre esprit à autre chose et en faisant le plein d'endorphines euphorisantes.

SI VOUS ENVISAGEZ D'ARRÊTER DE FUMER ET CRAIGNEZ DE PRENDRE DU POIDS, VOICI QUELQUES TRUCS POUR BIEN VOUS EN SORTIR
Commencez, lentement mais sûrement, à faire de l'activité physique. Effectuez des périodes d'exercice modéré quotidiennement pour prendre soin de vous et faire le vide.

Tenez un journal et notez vos habitudes alimentaires. Ciblez les situations à risque et identifiez les périodes critiques où vous avez envie de pécher par gourmandise. En cas de fringale, ayez des fruits et des légumes à portée de main.

Mettez toutes les chances de votre côté pour réussir. Entourez-vous de non-fumeurs, particulièrement au début, car c'est à ce moment que les risques de rechute sont plus élevés.

Il est encourageant de savoir que neuf fumeurs sur dix réussissent à cesser de fumer lors d'une tentative d'arrêt complet, contrairement à un plan d'arrêt progressif où les chances sont plus faibles. Alors jouez le tout pour le tout et vous serez gagnant !

JOUR 24

(en continu)

SEMAINE 4

 DÉJEUNER

PAIN DORÉ

 (par portion) 333 calories, 45 g glucides,
12 g protéines, 11 g lipides

🍳 moins de 30 minutes

🍲 moins de 5 minutes

🍽 2

INGRÉDIENTS

2 œufs
60 ml (1/4 tasse) de lait allégé 1 %
30 ml (2 c. à soupe) de sirop d'érable
5 ml (1 c. à thé) de gingembre frais, haché
1 goutte d'essence de vanille
4 tranches de pain de grains entiers
10 ml (2 c. à thé) d'huile d'olive
1 pincée de cacao en poudre

PRÉPARATION

1. Dans un grand bol, battre les œufs. Ajouter, en fouettant toujours, le lait, le sirop d'érable, le gingembre et la vanille.
2. Tremper les tranches de pain dans la préparation.
3. Dans une poêle antiadhésive, chauffer la moitié de l'huile et faire griller 2 tranches de pain à la fois, environ 1 minute par côté. Répéter avec le reste du pain.
4. Saupoudrer de cacao.

ACCOMPAGNEZ VOTRE REPAS DE (1 portion)

60 ml (1/4 tasse) de yogourt allégé aux fruits
1/4 de banane, tranchée

SEMAINE 4

DÎNER
Sandwich au saumon

🦐 (par portion) 353 calories, 32 g glucides,
    29 g protéines, 11 g lipides

👨‍🍳 moins de 30 minutes

🍲 aucune cuisson

🍽 2

INGRÉDIENTS
1 boîte (213 g) de saumon en conserve, égoutté
1 oignon vert, haché
1/4 poivron jaune, en dés
125 ml (1/2 tasse) de cresson frais
20 ml (4 c. à thé) de mayonnaise allégée
5 ml (1 c. à thé) de fines herbes à l'italienne
poivre noir au goût
4 tranches de pain multigrain

PRÉPARATION
1. Dans un bol, combiner le saumon, l'oignon vert,
le poivron, le cresson, la mayonnaise, les fines herbes et
le poivre.
2. Faites deux sandwichs avec la préparation.
3. Couper les sandwichs en 4 et piquer chaque triangle
avec un cure-dent.

ACCOMPAGNEZ VOTRE REPAS DE (1 portion)
1 prune fraîche
1 verre d'eau

COLLATION (1 portion)
250 ml (1 tasse) de céréales de son (de type
    All Bran Guardian)
175 ml (3/4 tasse) de lait 1 %

SOUPER
Boulettes à la suédoise

🦐 (par portion) 299 calories, 23 g glucides,
    24 g protéines, 11 g lipides

👨‍🍳 moins de 30 minutes

🍲 moins de 1 heure

🍽 2

INGRÉDIENTS
240 g (8 oz) de dinde hachée maigre
1/4 d'oignon rouge, haché
30 ml (2 c. à soupe) de riz brun à grains longs, non cuit
1 gousse d'ail, émincée
5 ml (1 c. à thé) d'origan séché
poivre noir au goût
1 pincée de poudre de chili
1 petite boîte (environ 284 ml) de crème de tomate
60 ml (1/4 tasse) de lait 1 %

PRÉPARATION
1. Dans un bol, mélanger la dinde hachée, l'oignon rouge,
le riz, l'ail, l'origan, le poivre noir et la poudre de chili.
Façonner des boulettes d'environ 1 pouce de diamètre.
2. Dans une poêle antiadhésive, chauffer la crème de
tomate et le lait en remuant jusqu'à obtention d'une sauce
homogène.
3. Déposer les boulettes dans la sauce, couvrir et laisser
mijoter à feu doux pendant environ 45 minutes, en brassant délicatement de temps en temps.

ACCOMPAGNEZ VOTRE REPAS DE (1 portion)
125 ml (1/2 tasse) de brocoli, cuit à la vapeur
80 ml (1/3 tasse) de pâtes de blé entier (fettucini ou autres)
    arrosées de 2 ml (1/2 c. à thé) d'huile d'olive

JOUR 25
(en circuit)

DÉJEUNER
Muffins aux framboises et au fromage

🍳 (par portion) 222 calories, 27 g glucides,
5 g protéines, 10 g lipides

👨‍🍳 moins de 30 minutes

🍲 environ 25 minutes

🍽 10 (1 muffin par portion)

INGRÉDIENTS

80 ml (1/3 tasse) d'huile d'olive
125 ml (1/2 tasse) de sucre
2 œufs
80 ml (1/3 tasse) de lait 1 %
175 ml (3/4 tasse) de cheddar allégé, râpé
175 ml (3/4 tasse) de framboises fraîches
375 ml (1 1/2 tasse) de farine de blé entier
5 ml (1 c. à thé) de gingembre frais, haché
5 ml (1 c. à thé) de bicarbonate de soude
10 ml (2 c. à thé) de poudre à lever
2 ml (1/2 c. à thé) de sel

PRÉPARATION

1. Dans un bol, mélanger l'huile et la moitié du sucre.
Ajouter les œufs un à la fois, le lait et le reste du sucre
en fouettant.
2. Dans un bol, lier le fromage et les framboises.
3. Dans un autre bol, mélanger la farine, le gingembre,
le bicarbonate de soude, la poudre à lever et le sel.
4. Incorporer les deux mélanges d'ingrédients secs aux
ingrédients liquides et remuer juste pour humecter.
5. Cuire au four à 325 °F pendant environ 25 minutes.

ACCOMPAGNEZ VOTRE REPAS DE (1 portion)
30 ml (2 c. à soupe) de graines de tournesol rôties non salées
1 tasse de thé vert

SEMAINE 4

DÎNER
PASTA PRIMAVERA

 (par portion) 330 calories, 42 g glucides,
16 g protéines, 12 g lipides

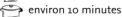 moins de 30 minutes

environ 10 minutes

2

INGRÉDIENTS

100 g (1 tasse ou 250 ml) de pâtes de blé entier (penne,
farfalle ou autres)
15 ml (1 c. à soupe) d'huile d'olive
10 ml (2 c. à thé) de vinaigre de vin rouge
1 gousse d'ail, émincée
1 pincée de basilic séché
poivre noir au goût
250 ml (1 tasse) de pousses d'épinards
8 tomates cerises, coupées en deux
1 oignon vert, haché fin
125 ml (1/2 tasse) de mozzarella allégée, en dés

PRÉPARATION

1. Dans une casserole, porter l'eau à ébullition et cuire
les pâtes selon les instructions figurant sur l'emballage.
Égoutter et réserver.
2. Préparer la vinaigrette : dans un petit bol, émulsionner
l'huile, le vinaigre, l'ail, le basilic et le poivre.
3. Dans un grand bol, combiner les pousses d'épinards,
les tomates cerises, l'oignon vert et le fromage.
Ajouter les pâtes.
4. Arroser de vinaigrette. Mélanger.

ACCOMPAGNEZ VOTRE REPAS DE (1 portion)

3 asperges, grillées au four
1 figue fraîche, coupée en deux, arrosée de
2 ml (1/2 c. à thé) de miel

COLLATION (1 portion)

1 barre de protéines de 200 calories (de type Rosïbar
Turbo)

Georges cuisine avec sa maman adorée

SOUPER
Chow mein au poulet

(par portion) 298 calories, 16 g glucides,
34 g protéines, 11 g lipides

moins de 30 minutes

moins de 20 minutes

2

INGRÉDIENTS

10 ml (2 c. à thé) d'huile d'olive

240 g (8 oz) de poitrines de poulet, désossées et sans
la peau, coupées en lanières

5 ml (1 c. à thé) d'huile d'olive

1/2 oignon, tranché

1/4 poivron rouge, en lanières

1 branche de céleri, tranchée en biais

1 gousse d'ail, émincée

500 ml (2 tasses) de chou vert, ciselé

250 ml (1 tasse) de fèves germées

125 ml (1/2 tasse) de bouillon de poulet à teneur réduite
en sodium

15 ml (1 c. à soupe) de fécule de maïs, dissoute dans 30 ml
(2 c. à soupe) d'eau froide

15 ml (1 c. à soupe) de sauce soya légère

5 ml (1 c. à thé) de gingembre frais, haché

poivre noir au goût

PRÉPARATION

1. Dans un wok ou une poêle antiadhésive, chauffer l'huile
et faire dorer les lanières de poulet pendant environ
4 minutes, en brassant sans arrêt. Réserver.
2. Dans le même récipient, chauffer l'huile et faire cuire
l'oignon, le poivron, le céleri, l'ail, le chou et les fèves germées à feu moyen pendant environ 4 minutes.
3. Ajouter le bouillon de poulet, la fécule de maïs, la sauce
soya et le gingembre. Mélanger.
4. Porter à ébullition en brassant, puis réduire à feu
moyen. Laisser mijoter environ 5 minutes ou jusqu'à
épaississement de la sauce.
5. Ajouter le poulet et laisser mijoter 3 minutes de plus.
6. Poivrer.

ACCOMPAGNEZ VOTRE REPAS DE (1 portion)

125 ml (1/2 tasse) de jus de tomate à teneur réduite
en sodium

1 biscuit à l'avoine allégé (de type Dad's)

CONSEIL

LA CAFÉINE, À PRENDRE OU À LAISSER ?

Le débat sur la caféine est plutôt corsé! La caféine est-elle une potion ou un poison ? A-t-elle sa place dans une saine approche de gestion du poids ? Afin de tenter de donner une réponse à ces questions, décrivons les effets de la caféine sur le corps et la santé.

La caféine agit sur les neurotransmetteurs du système nerveux central, d'où son action stimulante. On lui accorde le pouvoir d'accroître la vigilance et d'améliorer les fonctions cognitives (réf. 48, 49). Il semble que la caféine puisse aider à prévenir les maladies de Parkinson et d'Alzheimer (réf. 50, 51). De plus, elle aurait un effet énergisant. Par ailleurs, la très faible teneur en calories du café et son léger effet coupe-faim sont appréciés lors d'un processus de perte de poids. À la condition, bien sûr, de le prendre noir et sans sucre…

D'un autre côté, la caféine entraîne une augmentation de la tension artérielle et peut causer des symptômes indésirables tels que l'anxiété, les brûlures d'estomac et l'insomnie (réf. 52, 53). Assurez-vous de cesser d'en consommer au moins une heure avant l'exercice afin d'éviter les maux digestifs pendant l'effort. Pour ceux qui en prennent beaucoup ou sont génétiquement « sensibles » à ses effets, la caféine peut provoquer une déshydratation, des nausées, des palpitations cardiaques et des crampes musculaires. Tenez-vous pour averti !

Les experts de Santé Canada soutiennent que la consommation de 400 milligrammes de caféine par jour ne cause pas d'effets néfastes sur la santé (réf. 54). Pour les femmes enceintes et celles qui allaitent, la limite est établie à 300 milligrammes de caféine par jour. À titre d'exemple, une tasse de café filtre (250 millilitres) contient environ 175 milligrammes de caféine, tandis que la même quantité de thé en contient approximativement 50 milligrammes. Quant au chocolat noir à 70 %, un morceau de 30 grammes (1 once) contient moins de 30 milligrammes de caféine. Pour ce qui est des boissons énergétiques et énergisantes qui abondent sur le marché, elles sont souvent trop caféinées et trop sucrées. Il faut éviter d'en abuser.

DÉJEUNER
PLAT DE FRUITS ET DE FROMAGE

(par portion) 404 calories, 73 g glucides,
15 g protéines, 7 g lipides

moins de 30 minutes

aucune cuisson

1

INGRÉDIENTS

15 g de brie ou de camembert allégé
15 g de cheddar ou de suisse allégé
10 raisins rouges sans pépins
10 raisins verts sans pépins
125 ml (1/2 tasse) de cantaloup, en morceaux
2 tranches (1 pouce chacune) de baguette de blé entier

PRÉPARATION

1. Sur un plateau ou dans une assiette, servir les fromages
et décorer avec les raisins et le cantaloup.
2. Servir avec les tranches de baguette.

ACCOMPAGNEZ VOTRE REPAS DE (1 portion)
1 verre d'eau avec des tranches de citron

COLLATION (1 portion)
1 barre de protéines de 200 calories (de type Myoplex Lite
au caramel et arachides)

DÎNER
SALADE À LA JAPONAISE

(par portion) 304 calories, 17 g glucides,
16 g protéines, 23 g lipides

moins de 30 minutes

aucune cuisson

2

INGRÉDIENTS

500 ml (2 tasses) de fèves germées
500 ml (2 tasses) de pousses d'épinards
1/2 poivron rouge, en lanières
2 branches de céleri, tranchées en biais
2 oignons verts, tranchés en biais
15 ml (1 c. à soupe) d'huile d'olive
5 ml (1 c. à thé) de sauce soya légère
5 ml (1 c. à thé) de gingembre frais, haché
poivre noir au goût
32 amandes tamari rôties (environ 1 oz ou 30 g)

PRÉPARATION

1. Dans un saladier, mélanger les fèves germées, les épinards, le poivron, le céleri et les oignons verts.
2. Préparer la vinaigrette : dans un petit bol, mélanger
l'huile, la sauce soya, le gingembre et le poivre.
3. Arroser la salade de vinaigrette. Mélanger. Décorer avec
les amandes.

ACCOMPAGNEZ VOTRE REPAS DE (1 portion)
1 petit pain kaiser multigrain, sans beurre

SOUPER
SPAGHETTI MARINARA

(par portion) 354 calories, 69 g glucides,
14 g protéines, 5 g lipides
moins de 30 minutes
moins de 35 minutes
2

INGRÉDIENTS

5 ml (1 c. à thé) d'huile d'olive
1 gousse d'ail, émincée
1/2 oignon, haché fin
1 boîte (540 ml) de tomates italiennes en dés et leur jus
1 boîte (213 ml) de sauce tomate
30 ml (2 c. à soupe) de pâte de tomate
10 ml (2 c. à thé) de fines herbes à l'italienne
100 g de spaghettis de blé entier
30 ml (2 c. à soupe) de parmesan râpé
poivre noir au goût

PRÉPARATION

1. Dans une poêle antiadhésive, chauffer l'huile et faire
cuire l'ail et l'oignon.
2. Ajouter les tomates, la sauce tomate, la pâte de tomate
et les fines herbes.
3. Mijoter à feu doux pendant environ 20 minutes.
4. Dans une casserole, porter l'eau à ébullition et cuire
les pâtes selon les instructions figurant sur l'emballage.
5. Égoutter les pâtes. Napper de sauce. Saupoudrer de
parmesan râpé. Poivrer.

ACCOMPAGNEZ VOTRE REPAS DE (1 portion)

1 petit yogourt glacé (100 g) à la vanille allégé
1 verre d'eau pétillante

DÉJEUNER
PAIN GRILLÉ AVEC CRETONS

🏋 (par portion) 292 calories, 34 g glucides,
    11 g protéines, 11 g lipides

👨‍🍳 moins de 30 minutes

🍲 aucune cuisson

🍽 1

INGRÉDIENTS
2 petites tranches de pain de seigle
10 ml (2 c. à thé) de margarine à l'huile d'olive
    non hydrogénée
30 ml (2 c. à soupe) de cretons de veau allégés
1 oignon vert, haché
poivre noir au goût

PRÉPARATION
1. Griller les tranches de pain au grille-pain ou au four.
2. Garnir de margarine, de cretons de veau, d'oignon
haché et de poivre noir.

ACCOMPAGNEZ VOTRE REPAS DE (1 portion)
250 ml (1 tasse) de lait 1 %

COLLATION (1 portion)
1 bouteille (591 ml) de boisson énergétique non caféinée +
30 ml (2 c. à soupe) de poudre de petit lait à la vanille
    (de type EAS Myoplex Lite)

⊘ DÎNER
POULET À L'INDIENNE ET RIZ

(par portion) 353 calories, 40 g glucides,
27 g protéines, 8 g lipides

moins de 30 minutes

moins de 35 minutes

2

INGRÉDIENTS

5 ml (1 c. à thé) d'huile d'olive
1/2 oignon, coupé en dés
4 gros champignons, coupés en morceaux
1/2 petite boîte de crème de poulet allégée
80 ml (1/3 tasse) d'eau
180 g (6 oz) de poitrines de poulet, sans la peau, en dés
60 ml (1/4 tasse) de maïs en conserve, rincé et égoutté
60 ml (1/4 tasse) de pois surgelés, décongelés
5 ml (1 c. à thé) de curcuma en poudre
poivre noir au goût
60 g (1/3 tasse ou 80 ml) de riz blanc à grains longs

PRÉPARATION

1. Dans une poêle antiadhésive, chauffer l'huile et faire cuire l'oignon et le curcuma pendant environ 3 minutes. Ajouter les champignons et cuire 2 minutes de plus.
2. À feu doux, ajouter la crème de poulet et l'eau en remuant.
3. Ajouter le poulet, le maïs, les pois et poivrer. Laisser mijoter à feu doux pendant environ 20 minutes.
4. Pendant ce temps, faire cuire le riz.
5. Dresser le riz dans 2 assiettes. Servir le poulet par-dessus et arroser d'un peu de sauce.

ACCOMPAGNEZ VOTRE REPAS DE (1 portion)

125 ml (1/2 tasse) de choux de Bruxelles, cuits à la vapeur
2 abricots séchés

⊘ SOUPER
PÂTÉ CHINOIS AUX LENTILLES

(par portion) 354 calories, 53 g glucides,
18 g protéines, 8 g lipides

moins de 30 minutes

moins de 1 heure

2

INGRÉDIENTS

2 pommes de terre moyennes, pelées, coupées en deux
5 ml (1 c. à thé) d'huile d'olive
2 ml (1/2 c. à thé) de curcuma moulu
1 gousse d'ail, émincée
1/2 oignon, haché
90 g (3 oz) de veau haché maigre
125 ml (1/2 tasse) de lentilles en conserve, rincées et égouttées
125 ml (1/2 tasse) de maïs en crème
5 ml (1 c. à thé) d'huile d'olive
60 ml (1/4 tasse) de lait 1 %
poivre noir au goût

PRÉPARATION

1. Dans une casserole, cuire les pommes de terre jusqu'à ce qu'elles soient tendres. Transférer dans un bol et réduire en purée. Ajouter l'huile, le lait et le poivre. Réserver.
2. Dans une poêle antiadhésive, chauffer l'huile et sauter l'ail, l'oignon et le curcuma pendant environ 4 minutes. Ajouter le veau et cuire 10 minutes de plus. Ajouter les lentilles, mélanger et cuire encore 2 minutes.
3. Déposer le mélange dans un moule à pain légèrement huilé, couvrir de maïs puis de purée de pommes de terre.
4. Cuire au four à 350 °F pendant environ 30 minutes.

ACCOMPAGNEZ VOTRE REPAS DE (1 portion)

250 ml (1 tasse) de laitue romaine, ciselée + 5 ml (1 c. à thé) d'huile d'olive et 5 ml (1 c. à thé) de vinaigre balsamique
1 verre d'eau aromatisée

L'ÉQUILIBRE « BOULOT-CARDIO-DODO »

Avec des journées de travail longues et chargées, la circulation et le deuxième « quart de travail » en rentrant à la maison (la vie de famille ou le couple), trouver du temps pour cuisiner et faire de l'exercice semble impensable. À ce stade-ci du programme, vous avez certainement découvert des façons d'intégrer vos séances d'entraînement à votre quotidien. À l'étape du maintien du poids, il faudra consacrer au moins 30 minutes à l'exercice tous les jours. Voici quelques moyens pour maintenir un mode de vie actif, faciliter le contrôle de votre poids et profiter des bienfaits de l'exercice.

PRENEZ DU TEMPS À L'HEURE DU DÎNER POUR BOUGER

Dédiez une partie de votre heure de dîner pour marcher avec vos collègues ou vous entraîner au gym. Une séance d'entraînement de 30 à 45 minutes est suffisante pour générer des bénéfices pour la santé. Cette pause active du midi vous évitera les dîners au resto, ruineux tant pour votre ligne que pour votre budget ! En organisant ainsi votre horaire, vous n'aurez pas l'impression de sacrifier votre temps personnel et celui que vous partagez en famille.

MULTIPLIEZ LES OCCASIONS D'ÊTRE ACTIF AU TRAVAIL

Au bureau, déplacez-vous pour vous adresser de vive voix à vos collègues plutôt que par téléphone, prenez les escaliers plutôt que l'ascenseur, utilisez les toilettes situées aux autres étages en empruntant l'escalier. Voilà des stratégies efficaces pour bouger.

SOYEZ ASTUCIEUX LORS DES VOYAGES D'AFFAIRES

Privilégiez les hôtels dotés d'un centre de conditionnement physique à proximité et mettez vos souliers de course et vos vêtements d'entraînement dans votre valise. Une marche ou une course dans une nouvelle ville est une bonne occasion de faire du tourisme et, qui sait, peut-être même de faire des rencontres…

SERVEZ-VOUS DE VOTRE AGENDA, CET OUTIL PRÉCIEUX

Assurez-vous d'inscrire vos séances d'exercice à votre agenda à l'avance et de vous y tenir. Souvenez-vous que votre dose d'activité physique quotidienne vous procurera de l'énergie et oxygénera votre corps et votre esprit. Il n'est donc pas question de s'en passer, que vous soyez au travail ou à la maison.

DÉJEUNER
Œuf surprise

 (par portion) 224 calories, 22 g glucides,
10 g protéines, 10 g lipides
moins de 30 minutes
moins de 5 minutes
1

INGRÉDIENTS
1 tranche de pain multigrain
5 ml (1 c. à thé) d'huile d'olive
1 œuf
2 ml (1/2 c. à thé) de curcuma moulu
poivre noir au goût

PRÉPARATION
1. Utiliser un petit verre d'environ 2 pouces de diamètre pour découper un trou dans la tranche de pain.
2. Dans une poêle antiadhésive, chauffer l'huile et ajouter la tranche de pain. Casser l'œuf dans le trou.
3. Assaisonner de curcuma et de poivre noir.
4. Faire dorer environ 2 minutes et retourner à l'aide d'une spatule afin de griller l'autre côté.

ACCOMPAGNEZ VOTRE REPAS DE (1 portion)
1 tomate moyenne, en dés, arrosée de 5 ml (1 c. à thé) d'huile d'olive et d'une pincée de basilic séché
250 ml (1 tasse) de lait 1 %

COLLATION (1 portion)
3 dattes séchées
175 ml (3/4 tasse) de lait de soya au chocolat

DÎNER
Taboulé traditionnel

(par portion) 349 calories, 60 g glucides,
10 g protéines, 8 g lipides
moins de 30 minutes
environ 10 minutes
2

INGRÉDIENTS
100 g (125 ml ou 1/2 tasse) de semoule de blé
4 tomates cerises, en petits morceaux
2 oignons verts, hachés
1/2 poivron vert, haché
15 ml (1 c. à soupe) de menthe fraîche, hachée
30 ml (2 c. à soupe) de persil frais, haché
10 ml (2 c. à thé) d'huile d'olive
30 ml (2 c. à soupe) de jus de citron
1 pita de blé entier
5 ml (1 c. à thé) d'huile d'olive
2 ml (1/2 c. à thé) de thym séché
2 ml (1/2 c. à thé) de curcuma moulu
poivre noir au goût

PRÉPARATION
1. Porter 125 ml (1/2 tasse) d'eau à ébullition.
2. Hors du feu, y verser la semoule en pluie. Couvrir et laisser reposer 5 minutes. Aérer avec une fourchette.
3. Transférer dans un bol. Mélanger avec les tomates, les oignons, le poivron, la menthe, le persil, l'huile et le jus de citron.
4. Couper le pain pita en 6 triangles. Badigeonner d'huile d'olive et parsemer de thym, de curcuma et de poivre noir.
5. Griller au four à 375 °F 5 minutes ou jusqu'à ce que les pitas soient dorés, et servir avec le taboulé.

ACCOMPAGNEZ VOTRE REPAS DE (1 portion)
1 petit yogourt (100 g) allégé aux pêches
1 verre d'eau avec tranches de concombre pelé

⊘ SOUPER
FILET MIGNON ET SAUCE AU THÉ

🏋 (par portion) 309 calories, 3 g glucides,
    33 g protéines, 16 g lipides
👨‍🍳 moins de 30 minutes
🍲 environ 30 minutes
🍽 2

INGRÉDIENTS

10 ml (2 c. à thé) d'huile d'olive
1 gousse d'ail, émincée
80 ml (1/3 tasse) de bouillon de bœuf à teneur réduite
    en sodium
15 ml (1 c. à soupe) de pâte de tomate
2 sachets de thé vert
5 ml (1 c. à thé) de fécule de maïs
5 ml (1 c. à thé) d'eau froide
10 ml (2 c. à thé) d'huile d'olive
2 filets mignons de 150 g (5 oz) chacun
poivre noir au goût

PRÉPARATION

1. Dans une casserole, chauffer l'huile et sauter
l'ail environ 2 minutes. Ajouter le bouillon et
la pâte de tomate, puis porter à ébullition. Retirer du feu
et réserver.
2. Y plonger les sachets de thé et laisser infuser environ
5 minutes.
3. Retirer les sachets et remettre la casserole sur le feu.
Laisser mijoter quelques minutes.
4. Dissoudre la fécule de maïs dans un peu d'eau et
l'incorporer.
5. Porter à ébullition en fouettant vigoureusement, réduire
à feu doux et laisser mijoter quelques minutes.
6. Dans une poêle antiadhésive, chauffer l'huile et cuire
chaque filet mignon environ 5 minutes par côté.
7. Poivrer. Servir avec la sauce au thé.

ACCOMPAGNEZ VOTRE REPAS DE (1 portion)
60 ml (1/4 tasse) de riz brun à grains longs, cuit
3 asperges jaunes, grillées au four, arrosées de 2 ml
    (1/2 c. à thé) d'huile d'olive

JOSÉE VEUT S'ASSURER DE FRANCHIR LA LIGNE D'ARRIVÉE

JE SUIS TRÈS PRÈS DE LA LIGNE D'ARRIVÉE ET J'AVOUE QUE
ÇA ME STRESSE UN PEU. JE VAIS TRAVAILLER FORT POUR LA
FRANCHIR. IL FAUT DE LA DÉTERMINATION. JE ME LE RÉPÈTE
SOUVENT! J'AI L'IMPRESSION D'ÊTRE ASSEZ MOTIVÉE, MAIS
M'ENTRAÎNER AVEC QUELQU'UN QUI ME POUSSE ET QUI M'EN-
COURAGE, C'EST POUR MOI UNE CHANCE EN OR. LES JOURNÉES
LES PLUS DIFFICILES SEMBLENT MOINS INSURMONTABLES
LORSQUE J'ARRIVE AU GYM ET QUE JE SUIS ACCUEILLIE PAR
QUELQU'UN DE TRÈS «HOP LA VIE» QUI ME STIMULE TOUT
EN RESPECTANT MES LIMITES. AUPARAVANT, JE NE PLAÇAIS
PAS MES SÉANCES DANS MON HORAIRE; J'Y ALLAIS QUAND
ÇA ME CONVENAIT ET, MALHEUREUSEMENT, CE N'ÉTAIT PAS
TOUJOURS MA PRIORITÉ, DONC PAS VRAIMENT RÉGULIER. CE
N'EST PLUS PAREIL AUJOURD'HUI. EN PASSANT, LES RECETTES
SONT TOUJOURS AUSSI SAVOUREUSES... MÊME SI JE N'AI
JAMAIS BEAUCOUP AIMÉ LE POISSON, J'AI ADORÉ LA MORUE À
L'ASIATIQUE. MA NUTRITIONNISTE M'A DONNÉ COMME DÉFI
DE GOÛTER UN ALIMENT NOUVEAU CHAQUE SEMAINE!

3

LE MAINTIEN

Vous avez goûté au Programme 10-4 et vous avez retrouvé l'appétit de vivre. Réalisez-vous ce que vous avez accompli ? Ici se terminent les 4 semaines de votre programme, mais ce n'est pas fini… Il faut continuer à prendre soin de vous tous les jours pour garder vos nouvelles habitudes pour la vie. Vous n'êtes pas seul à célébrer votre victoire ; vous serez nombreux sur le podium ! Georges, Daniel, Pierre, Véronique, Josée et Camilla sont eux aussi plus en forme que jamais. Voyez ce qu'ils sont parvenus à faire en investissant dans leur bien-être et leur santé… C'est maintenant le moment de procéder à la remise officielle des médailles. Porterez-vous fièrement la vôtre ?

Il faut trouver des sources de motivation, poursuivre des objectifs à la fois ambitieux et réalistes, être encouragé, bien encadré et disposer de bons outils.

CAMILLA
Vivre jeune

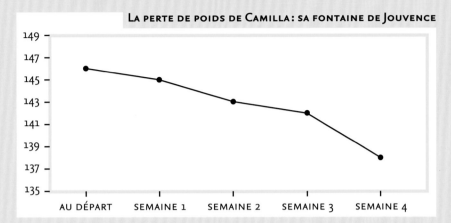

La perte de poids de Camilla : sa fontaine de Jouvence

	AU DÉPART	SEMAINE 1	SEMAINE 2	SEMAINE 3	SEMAINE 4
	146	145	143	142	138

La victoire de Camilla

Poids final : 138 livres.

Perte de poids totale : 8 livres.

Indice de masse corporelle : 25 (elle a atteint son poids santé).

Pourcentage de gras : 29 %.

Circonférence de la taille : 74 centimètres.

Objectif ultime : elle est arrivée à destination.

Son expérience 10-4

La clé de son succès : une longue réflexion avait précédé son engagement. Elle a réalisé que la motivation à elle seule ne suffit pas ; il faut aussi ressentir l'urgence d'agir.

Ce qui a été éprouvant pour elle : trouver un rythme d'entraînement qu'elle pouvait maintenir sans se fatiguer et revoir son alimentation en intégrant des collations pour ne pas avoir faim. Elle a adapté les objectifs du programme pour en faire un 8-4 !

Ses recettes 10-4 préférées : toutes les recettes contenant des légumes et du poisson.

Sa collation chouchou : elle aimait se servir une variété de fruits.

Son exercice favori : côté cardio, elle se sent vraiment à l'aise avec le tapis roulant et a l'impression de marcher dans un sentier ou d'arpenter les rues de son quartier ! Pour la musculation, les exercices avec le ballon et les poids l'ont fait progresser.

L'heure idéale pour s'entraîner : le matin.

Ce qui a soutenu sa motivation : ses fils, ses parents et son propre désir de retrouver de l'énergie.

Les enjeux pour le futur : maintenir le cap.

DANIEL EST D'AVIS QU'ON NE PEUT PAS AMÉLIORER CE QUE L'ON NE MESURE PAS RÉGULIÈREMENT, ET AUJOURD'HUI IL SAIT QUE C'EST ENCORE PLUS VRAI QUE JAMAIS.

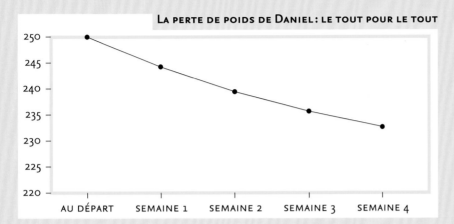

La perte de poids de Daniel: le tout pour le tout

	AU DÉPART	SEMAINE 1	SEMAINE 2	SEMAINE 3	SEMAINE 4
250	●				
245		●			
240			●		
235				●	●
230					

LA VICTOIRE DE DANIEL

Poids final : 231 livres.

Perte de poids totale : 18 livres.

Indice de masse corporelle : 35 (beaucoup mieux que l'IMC initial de 38).

Pourcentage de gras : 37 %.

Circonférence de la taille : 119 centimètres.

Objectif ultime : atteindre 225 livres et, par la suite, 200 livres.

SON EXPÉRIENCE 10-4

La clé de son succès : consacrer tout le temps nécessaire à sa transformation et à l'organisation pour répondre aux exigences du programme. Le journal alimentaire informatisé de Nautilus Plus a été un gros « plus », de pair avec sa volonté de réussir.

Ce qui a été éprouvant pour lui : Rien. Le tournoi de golf qu'il appréhendait de peur de trop manger ou de boire de l'alcool n'a posé aucune difficulté ; il a compris qu'il avait assez de volonté et de force pour résister !

Sa recette 10-4 préférée : le filet de porc et épinards.

Sa collation chouchou : il s'est surpris à apprécier les galettes de riz au caramel en soirée.

Son exercice favori : c'est l'appareil elliptique… car il peut contrôler sa fréquence cardiaque et a l'impression d'avoir moins de courbatures le lendemain !

L'heure idéale pour s'entraîner : vers 10 heures le matin.

Ce qui a soutenu sa motivation : la confiance en sa capacité à perdre du poids.

Les enjeux pour le futur : garder la forme, manger beaucoup de légumes et modérer les portions de viande (ce ne sera pas facile !).

ATTENTION, MÉFIEZ-VOUS :
IL EST PLUS EN FORME QUE JAMAIS !

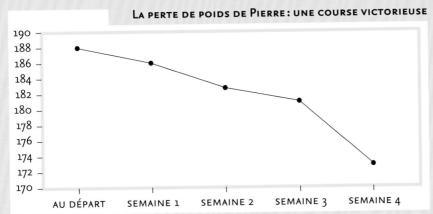

La perte de poids de Pierre : une course victorieuse

La victoire de Pierre

Poids final : 173 livres.

Perte de poids totale : 15 livres.

Indice de masse corporelle : 26 (il a fait du chemin depuis son IMC de 29).

Pourcentage de gras : 22 % (comparativement à 29 % au début du 10-4).

Circonférence de la taille : 92,1 centimètres.

Objectif ultime : maintenir son poids, sa forme physique et ses bonnes habitudes.

Son expérience 10-4

La clé de son succès : sa détermination.

Ce qui a été éprouvant pour lui : intégrer l'entraînement à son horaire chargé.

Sa recette 10-4 préférée : le trio salade de quinoa, taboulé et salade de crabe.

Sa collation chouchou : un bon smoothie aux fruits.

Son exercice favori : il a aimé faire tous les exercices sans exception.

L'heure idéale pour s'entraîner : le matin, juste avant le lunch.

Ce qui a soutenu sa motivation : l'énergie et le bien-être qu'il ressentait à la fin de chacune de ses journées si remplies !

Les enjeux pour le futur : poursuivre l'entraînement et conserver une alimentation saine.

CE N'EST PAS FINI,
CE N'EST QUE LE DÉBUT...

VÉRONIQUE
En paix avec elle-même

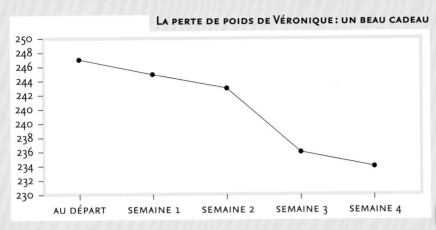

LA PERTE DE POIDS DE VÉRONIQUE : UN BEAU CADEAU

| | AU DÉPART | SEMAINE 1 | SEMAINE 2 | SEMAINE 3 | SEMAINE 4 |

LA VICTOIRE DE VÉRONIQUE

Poids final : 234 livres.

Perte de poids totale : 13 livres.

Indice de masse corporelle actuel : 36 (elle était presque à 40 auparavant).

Pourcentage de gras : 46,5 %.

Circonférence de la taille : 99 centimètres (le tour de ses hanches et de ses cuisses a beaucoup diminué et ça se voit).

Objectif ultime : elle rêve de peser 200 livres et prévoit bien y arriver !

SON EXPÉRIENCE 10-4

La clé de son succès : sa détermination et le soutien de son conjoint (qui s'occupait des enfants lorsqu'elle allait à l'épicerie ou au gym).

Ce qui a été éprouvant pour elle : intégrer l'entraînement tous les jours dans le train-train d'une famille et suivre les menus à la lettre.

Ses recettes 10-4 préférées : la salade égéenne, le croque-monsieur, le burger mexicain, la lasagne au fromage et les muffins aux canneberges et aux ananas.

Sa collation chouchou : la barre de protéines au chocolat est assurément en tête de liste !

Son exercice favori : le vélo stationnaire en groupe (qui l'aurait cru ?).

L'heure idéale pour s'entraîner : en soirée, après avoir couché les enfants.

Ce qui a soutenu sa motivation : la perte de poids elle-même.

Les enjeux pour le futur : poursuivre sa perte de poids sans son entraîneur personnel et sa nutritionniste à ses côtés.

Son défi ultime consiste à redoubler d'efforts pour ne pas perdre sa motivation et garder sa belle routine quotidienne.

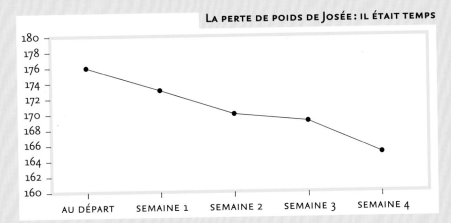

LA PERTE DE POIDS DE JOSÉE : IL ÉTAIT TEMPS

LA VICTOIRE DE JOSÉE

Poids final : 165 livres.

Perte de poids totale : 11 livres.

Indice de masse corporelle : 28 (elle est maintenant dans la catégorie « surpoids »).

Pourcentage de gras : 33 % (une amélioration par rapport au 39 % initial).

Circonférence de la taille : 83,5 centimètres.

Objectif ultime : perdre encore 15 livres pour atteindre son poids santé.

SON EXPÉRIENCE 10-4

La clé de son succès : le journal alimentaire, car elle a pu y inscrire ses états d'âme et ses défis personnels. L'encouragement de ses proches, de son entraîneur et de sa nutritionniste ont fait toute la différence.

Ce qui a été éprouvant pour elle : résister aux tentations lors d'événements sociaux, comme les petites douceurs sucrées ou le verre de vin…

Ses recettes 10-4 préférées : les pâtes à l'indonésienne, qui sont si savoureuses, et les nombreuses salades-repas pour le dîner.

Sa collation chouchou : une barre tendre avec du yogourt, c'est presque du dessert !

Son exercice favori : la corde à sauter intégrée dans des circuits de musculation. Et le vélo stationnaire en groupe… c'était motivant pour elle de s'entraîner avec d'autres.

L'heure idéale pour s'entraîner : après le boulot.

Ce qui a soutenu sa motivation : les changements dans son corps et l'amélioration de son niveau d'énergie.

Les enjeux pour le futur : maintenir son poids, continuer à s'entraîner régulièrement et éviter les tentations alimentaires.

GEORGES SE SENT LIBÉRÉ. IL EST LA PREUVE QU'IL NE FAUT PAS ATTENDRE À DEMAIN POUR SE LEVER, BOUGER ET VIVRE PLEINEMENT !

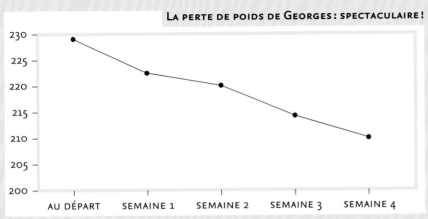

LA PERTE DE POIDS DE GEORGES: SPECTACULAIRE!

(Graphique: axe vertical de 200 à 230; axe horizontal: AU DÉPART, SEMAINE 1, SEMAINE 2, SEMAINE 3, SEMAINE 4. La courbe part d'environ 229 AU DÉPART, descend à ~222 SEMAINE 1, ~220 SEMAINE 2, ~214 SEMAINE 3, ~210 SEMAINE 4.)

LA VICTOIRE DE GEORGES

Poids final: 210 livres.

Perte de poids totale: 19 livres.

Indice de masse corporelle: 30 (difficile de croire qu'il était de 33 au début).

Pourcentage de gras: 24,2 %.

Circonférence de la taille: 91 centimètres (il a « rétréci » de 12 centimètres).

Objectif ultime: perdre encore 9 livres afin d'atteindre son poids cible.

SON EXPÉRIENCE 10-4

La clé de son succès: il croit que tout passe par la volonté et la compréhension de ce qu'on fait pour atteindre nos buts; les efforts et les sacrifices deviennent alors secondaires.

Ce qui a été éprouvant pour lui: n'ayant jamais prêté attention à sa façon de s'alimenter, il a eu un choc lors des premiers jours du programme.

Sa recette 10-4 préférée: sans aucun doute le sauté de poulet à l'asiatique.

Sa collation chouchou: le lait au chocolat, délicieux…

Son exercice favori: les séances de « boot-camp » ou d'entraînement militaire dirigées par son entraîneur. Il pouvait tordre ses vêtements tellement il était en sueur!

L'heure idéale pour s'entraîner: après sa journée de travail, en soirée.

Ce qui a soutenu sa motivation: les résultats étaient si impressionnants qu'il n'avait pas d'autre choix que de continuer à y mettre des efforts, de semaine en semaine.

Les enjeux pour le futur: maintenir son poids et ses nouvelles habitudes tout en se permettant quelques gâteries.

LE MAINTIEN DU POIDS :
LA POURSUITE DE SAINES HABITUDES POUR LA VIE

Ça y est ! Vous venez de terminer avec brio 4 semaines pour améliorer votre forme et votre alimentation. Pour tous ces efforts, un gros bravo ! La discipline dont vous avez fait preuve ces vingt-huit derniers jours témoigne de votre volonté de vivre en meilleure santé... C'est réussi !

Ça ne s'arrête pas ici. À partir de maintenant, vous aurez un autre défi à relever, celui de maintenir vos acquis. Il se pourrait fort bien que vous ayez le même sentiment que nos participants 10-4, qui étaient ravis mais en même temps inquiets pour la suite. Camilla et Pierre ont atteint leur poids santé, par contre ce n'est pas le cas des autres participants, qui ont encore du chemin à parcourir. Et vous ? Où en êtes-vous dans votre cheminement ? Que souhaitez-vous pour le futur ? Désirez-vous conserver votre nouvelle silhouette ou poursuivre votre démarche de perte de poids ?

Peu importent vos intentions, je vous invite à dresser un bilan des quatre dernières semaines. Prenez le temps d'identifier les facteurs qui ont contribué à votre succès. Cette réflexion contribuera à faciliter le maintien du poids actuel. Réussissez-vous à concilier vos horaires de travail, d'entraînement, de repas et votre temps en famille ? Comment évaluez-vous votre capacité à effectuer tous vos entraînements et à cuisiner les nombreux repas 10-4 ? Cette rétrospective vous aidera à comprendre votre cheminement et à identifier vos priorités pour les semaines et les mois à venir. Pour déterminer si la prochaine étape sera sous le signe du maintien ou de la perte de poids, il faut refaire le calcul de votre indice de masse corporelle (page 19). Profitez-en pour constater à quel point votre perte de poids vous a rapproché de votre poids santé !

Si vous ressentez de la fatigue ou que votre motivation s'estompe, je vous suggère de prendre une courte pause et de maintenir votre poids pendant environ un mois. Vous donnerez ainsi la chance à votre corps et à votre tête de s'adapter aux changements apportés à votre style de vie. Vous profiterez de cette période de maintien pour reprendre vos forces et retrouver confiance en votre capacité de contrôler votre poids. Faites comme Camilla ou Pierre, et accordez-vous le droit de bouger un peu moins ou de manger un peu plus. Une fois ce répit terminé, repartez en force : bougez, mangez bien, et soyez positif !

Refaites vos calculs mathématiques

Vous le savez, le cumul d'un surplus calorique (par l'alimentation) ou une diminution de la dépense calorique (par la sédentarité) contribuent à la prise de poids. En gardant à l'esprit qu'une livre de gras correspond à 3 500 calories, vous pourrez revoir vos besoins et déterminer votre stratégie pour maintenir votre poids ou en perdre davantage.

Pour ce faire, recalculez votre dépense énergétique totale, comme vous l'aviez fait au tout début du programme. Puisque votre poids a diminué, il se pourrait que votre métabolisme au repos ait ralenti, un effet secondaire associé à la perte de poids (réf. 55, 56). Par conséquent, comme vous êtes plus actif (et désirez le rester !), votre niveau d'activité physique quotidien est dorénavant plus élevé. Afin d'estimer le nombre total de calories que vous dépensez maintenant sur une base quotidienne, utilisez la formule d'estimation du métabolisme au repos et les facteurs de prédiction du niveau d'activité physique de la page 37. Ce chiffre « magique » vous permettra d'établir votre plan de match pour le futur !

L'équilibre énergétique pour maintenir votre poids

Vous avez recalculé votre dépense énergétique totale et le nombre de calories à consommer pour maintenir votre poids. N'oubliez pas que ce calcul de dépense énergétique totale tient compte du niveau d'activité physique adopté pendant le programme. Vous pourrez donc absorber le même nombre de calories aussi longtemps que vous garderez cette cadence d'entraînement. C'est l'objectif de Camilla, qui veut stabiliser son poids tout en demeurant active. Elle conservera donc le même niveau d'activité physique et s'offrira le luxe de manger un peu plus pour freiner la perte de poids.

Si vous voulez maintenir votre poids mais songez à réduire la fréquence ou la durée des séances d'entraînement, il faut ajuster votre niveau d'activité physique à la baisse. Puisque votre dépense énergétique est moindre, vos besoins caloriques quotidiens le sont aussi. C'est le cas de Pierre, qui ne pense pas pouvoir continuer à s'entraîner autant à cause de son travail. Il continuera de manger comme il le faisait pendant le Programme 10-4, mais bougera un peu moins, ce qui lui permettra de maintenir son poids.

En réalité, tout est une question d'équilibre! Vous arriverez à maintenir votre poids en consommant autant de calories que vous en dépensez. Vous devez donc redéfinir le plan alimentaire qui vous permettra de consommer le nombre de calories correspondant à votre dépense énergétique totale.

Le déficit énergétique pour poursuivre votre perte de poids

Vous avez le désir de poursuivre et souhaitez perdre encore du poids? Il faudra ingérer moins de calories que vous en dépenserez. Je vous encourage à recommencer le Programme 10-4 en tenant compte de votre nouveau calcul de dépense énergétique. Votre nouveau plan alimentaire sera probablement un peu moins calorique qu'il l'était… Prenons l'exemple de Daniel, qui prévoit continuer de faire les recettes du programme et maintenir le même niveau d'activité physique. Il estime que son nouveau plan alimentaire sera de 1 800 calories plutôt que de 2 000. Rappelez-vous qu'il ne faut jamais consommer moins de calories que ce qui est requis pour soutenir l'activité de votre métabolisme au repos.

LES RECOMMANDATIONS PERSONNELLES DE DANIEL

Je suis extrêmement fier de mes résultats. Je suis particulièrement satisfait de voir que j'ai perdu surtout du gras. En fait, 90 % du poids que j'ai perdu est du gras. J'ai diminué mon poids total de pas moins de 7 % en vingt-huit jours. Mon jonc d'ingénieur, qui était difficile à retirer auparavant, risque de tomber si ça continue! Et c'est bien ce que je prévois faire, en me permettant un petit répit avant de recommencer! Selon moi, les ingrédients de ce beau succès sont de tenir un journal alimentaire tous les jours (sans exception), de prendre une collation après l'exercice (j'adore le lait au chocolat), de se payer un petit luxe de temps à autre (comme une portion de filet mignon un peu plus grosse), de tenir compte de ses goûts (dans le choix des recettes et des exercices) et de s'engager à fond dans sa métamorphose. Sur ce, je peux officiellement dire : « 10-4! »

LES SECRETS DE L'ALIMENTATION POUR MAINTENIR VOTRE POIDS

À ce stade de votre démarche, il ne tient qu'à vous de poursuivre ce que vous avez commencé. Aujourd'hui plus que jamais, vous réalisez à quel point la gestion de votre poids est directement liée à vos choix et comportements quotidiens. Inspirez-vous de votre réussite et servez-vous de votre expérience pour continuer à soigner vos habitudes de vie. Voici des conseils pour vous aider à maintenir votre nouvelle silhouette et votre forme physique.

Avoir le « bon sens » des portions

Sans nécessairement en faire une obsession et toujours calculer vos calories, il est possible de gérer ce que vous mangez en prêtant une attention particulière aux portions (réf. 57 et 58). Avec les menus 10-4 proposés, vous vous êtes familiarisé avec la grosseur type d'un repas et la composition d'une collation. Les portions de votre plan alimentaire ont été établies selon leur teneur en calories, en nutriments et en eau. Ces critères permettent de manger suffisamment pour être en santé et éviter les carences nutritionnelles, sans excès et avec une variété de menus interchangeables selon le goût du jour.

Dans vos menus, les portions étaient déjà planifiées, ce qui vous évitait de vous creuser les méninges. Le temps est venu de faire appel à votre jugement et de vous familiariser avec les portions alimentaires (voir le guide des portions alimentaires à la p. 208). Vous saurez bien vous débrouiller. Josée est devenue une véritable experte des portions ! Elle a adapté son menu à sa guise (tout en respectant bien sûr son plan alimentaire).

Reconnaître vos signaux de faim et de satiété

Les formules mathématiques présentées dans ce programme déterminent le plan alimentaire et la dépense

VÉRONIQUE TIRE SES CONCLUSIONS

J'AVAIS TELLEMENT HÂTE DE COMMENCER CE PROGRAMME, ET VOILÀ QU'IL EST DÉJÀ TERMINÉ. CE N'ÉTAIT PAS ROSE TOUS LES JOURS ! LORSQU'ON VEUT UNE PERTE DE POIDS DURABLE, IL FAUT GRUGER DANS LES RÉSERVES ADIPEUSES, MAIS LE CORPS N'EST PAS PRÊT À SE DÉPARTIR DE CES RÉSERVES SI FACILEMENT (IL ME FAIT PENSER À SÉRAPHIN, QUI VEUT GARDER SON OR À TOUT PRIX) ! C'EST POURQUOI L'EXERCICE FAIT UNE DIFFÉRENCE. LA SENSATION QUE L'ON RESSENT APRÈS L'ENTRAÎNEMENT EST TELLEMENT GRATIFIANTE. UNE FOIS À LA MAISON, IL Y A CE REGAIN D'ÉNERGIE QU'ON RETROUVE EN BOUGEANT. J'ÉTAIS CONTENTE DE NE PAS AVOIR À ME CASSER LE CAILLOU POUR SAVOIR QUOI MANGER. IL ME SUFFISAIT DE FAIRE MON ÉPICERIE D'APRÈS LE MENU DE LA SEMAINE. J'AI APPRIS À BIEN MANGER, EN QUANTITÉS SUFFISANTES ET SANS ME PRIVER. JE SAIS MAINTENANT QUE LA PERTE DE POIDS EST UN ÉTERNEL RECOMMENCEMENT SI ON NE TIENT PAS COMPTE DES BESOINS DE SON CORPS. LE CORPS SUIT LORSQUE LA TÊTE DÉCIDE.

énergétique appropriés pour atteindre votre objectif de perte de poids ou de maintien de votre poids. En plus de maîtriser ces calculs, apprendre à reconnaître vos signaux corporels de faim et de satiété est essentiel (réf. 59, 60). Votre ventre gargouille ? Votre bouche salive ? La satiété est ressentie lorsque vos papilles gustatives se « saturent » du goût des aliments et que votre abdomen se gonfle. D'ailleurs, ces 4 dernières semaines, vous avez sans doute remarqué qu'il est possible de se sentir rassasié en mangeant moins.

L'écoute de vos signaux d'appétit et de satiété vous servira dans votre période de maintien (réf. 59). En étant attentif, vous distinguerez la faim physiologique de la faim psychologique. Posez-vous les questions suivantes : terminez-vous votre assiette parce que vous ne voulez pas gaspiller la nourriture ? Prenez-vous un dessert comme récompense après une grosse journée ? Buvez-vous un autre verre de vin pour accompagner vos invités sans avoir soif ? Lorsque vous « nourrissez » un besoin psychologique, les excès et le surplus de poids surviennent inévitablement (réf. 60). Manger est une activité sociale qui est souvent liée à notre état émotif. Les occasions de céder aux tentations sont nombreuses. En réfléchissant à ce qui vous pousse à manger, vous arriverez à mieux gérer vos plaisirs. Tous ces réflexes vous aideront à maintenir votre poids. Prenons l'exemple de Georges, qui sortait souvent avec ses amis jusqu'aux petites heures du matin. Ils avaient l'habitude de se retrouver dans un McDonald's après la soirée. Imaginez-vous à quel point il a été difficile pour Georges de contourner ce rituel ! Pour s'en sortir, il s'est demandé si c'était une « vraie » faim qui le poussait à accompagner ses amis et a conclu qu'une bouteille d'eau suffisait à cette heure. Il y a de quoi être fier. En prime, il se sentait pas mal plus en forme les lendemains de veille !

COMME VOUS L'AVEZ CONSTATÉ DURANT LE DERNIER MOIS, UNE BONNE HABITUDE EN ENTRAÎNE UNE AUTRE. À PARTIR D'AUJOURD'HUI, ET POUR LE RESTE DE VOTRE VIE, IL FAUDRA CONSERVER VOS ACQUIS ET CONTINUER À PRENDRE SOIN DE VOUS. VOUS AVEZ ACCOMPLI LA MISSION DE PERDRE SAINEMENT 10 LIVRES EN 4 SEMAINES. IL EST MAINTENANT TEMPS DE MAINTENIR VOTRE POIDS. IL SERAIT DOMMAGE DE REVENIR À VOS ANCIENNES HABITUDES… VOILÀ POURQUOI JE VOUS INVITE À LIRE ATTENTIVEMENT CE QUI SUIT.

BIEN SE DÉBROUILLER AU RESTAURANT

Vous cherchez à maintenir vos bonnes habitudes, mais vous espérez aller au restaurant à l'occasion… Vous vous demandez comment faire les bons choix ? Voici cinq façons d'éviter les pièges à calories lorsque vous mangez à l'extérieur (réf. 67).

1. Prenez une collation avant de vous rendre au restaurant. Vous serez ainsi moins affamé, donc plus apte à résister à l'envie de vider la corbeille à pain et plus enclin à rejeter les aliments moins nutritifs. Une banane et quelques amandes rôties, ou des biscottes et un morceau de fromage feront très bien l'affaire.

2. Rappelez-vous qu'un repas devrait fournir à peu près 400 calories, comme dans votre plan alimentaire 10-4. La plupart des plats au restaurant contiennent plus de 600 calories, alors contentez-vous des deux tiers de l'assiette. Un autre truc à essayer : optez pour deux entrées plutôt que pour un plat principal.

3. Mangez lentement et prenez le temps de mastiquer vos aliments pour déguster chaque bouchée et vous permettre de ressentir la satiété (qui n'est pas immédiate, comme vous avez pu vous en rendre compte !). Accordez-vous au moins vingt minutes pour savourer le contenu de votre assiette, et rappelez-vous que rien ne vous oblige à la vider.

4. Méfiez-vous des à-côtés, des boissons et des desserts. Faites attention aux « extras » qui font pencher l'aiguille de la balance. Pensez à commander des boissons hypocaloriques comme le jus de légumes, l'eau pétillante, le café ou le thé. Aussi, demandez les sauces et les vinaigrettes à part.

5. Soyez prévoyant et furetez sur le site internet du resto avant de vous y rendre afin de comparer les plats qui y sont proposés. Certains restaurants offrent un guide de valeur nutritive de leur menu. Si ce type de guide n'est pas disponible, demandez au serveur de vous renseigner sur les choix hypocaloriques. Si vous pouvez, commandez une demi-portion. Renseignez-vous : vous serez surpris de constater que le plat de pâtes contient parfois moins de calories que la salade-repas, et que le dessert peut même être moins lourd que l'entrée (réf. 68) !

Il est tout à fait possible de « survivre » aux sorties au restaurant, dans la mesure où vous êtes vigilant et gardez en tête que le restaurateur cherche à vous faire succomber afin de grossir la facture (réf. 69).

TABLEAU 7 · **GUIDE DES PORTIONS D'ALIMENTS**

Féculents : approximativement 130 calories et environ 20 grammes de glucides par portion	
Céréales à déjeuner chaudes ou froides	175 millilitres (environ 3/4 tasse)
Semoule de blé cuite	175 millilitres (environ 3/4 tasse)
Craquelins ou biscottes	4 gros ou 8 petits craquelins (20 grammes)
Pâtes de blé entier ou riz brun cuit	125 millilitres (1/2 tasse)
Pomme de terre avec pelure	1 moyenne (2 x 5 pouces)
Fruits : approximativement 80 calories et environ 20 grammes de glucides par portion	
Cantaloup ou melon	375 millilitres (1 1/2 tasse)
Clémentines ou kiwis	2 petits
Framboises ou bleuets	250 millilitres (1 tasse)
Fruits séchés : raisins secs, canneberges séchées, etc.	45 millilitres (3 c. à soupe)
Jus de fruits sans sucre ajouté	175 millilitres (environ 3/4 tasse)
Lait et substituts : approximativement 120 calories et environ 10 grammes de protéines par portion	
Lait 1 %	250 millilitres (1 tasse)
Lait au chocolat 1 %	1 berlingot (200 millilitres)
Lait de soya à la vanille, au chocolat, etc.	250 millilitres (1 tasse)
Fromage ferme allégé à moins de 18 % m.g.	60 grammes (2 oz)
Yogourt allégé à 1 % ou 0 % m.g.	175 millilitres (environ 3/4 tasse)
Viandes et substituts : approximativement 140 calories et environ 20 grammes de protéines par portion	
Bœuf ou porc haché extra-maigre, cuit sans gras	90 grammes (3 oz)
Légumineuses : lentilles, pois chiches, etc.	125 millilitres (1/2 tasse)
Œufs entiers frais	2 moyens
Poisson à chair blanche, grillé : morue, sole, etc.	120 grammes (4 oz)
Poitrine de poulet ou de dinde, sans peau, rôtie	90 grammes (3 oz)
Gras ajoutés : approximativement 70 calories et environ 10 grammes de lipides par portion	
Beurre de noix : arachide, amande, etc.	10 millilitres (2 c. à thé)
Huile d'olive	10 millilitres (2 c. à thé)
Mayonnaise allégée ou vinaigrette allégée	30 millilitres (2 c. à soupe)
Sucres ajoutés : approximativement 60 calories et environ 15 grammes de glucides par portion	
Chocolat noir à 70 %	1 carré (15 grammes)
Miel ou sirop d'érable	15 millilitres (1 c. à soupe)
Sucre ou cassonade	15 millilitres (1 c. à soupe)

Manger moins mais plus souvent

Le Programme 10-4 vous a appris à manger moins mais plus souvent, une habitude que vous devriez garder. Mais attention, ne réduisez pas trop vos portions et n'attendez pas trop longtemps avant de manger. Un des problèmes associés à la privation et à la restriction alimentaire est le risque de rechute (réf. 61, 62). Il y a certaines précautions à prendre pour éviter de dévorer tout ce qui vous passe sous la main. En prenant l'habitude de manger plusieurs petits repas et des collations, la sensation de faim est moins présente.

Lorsque vous passez de longues heures sans manger ou que vous ne mangez pas suffisamment, votre corps s'adapte, votre métabolisme au repos ralentit et « fonctionne » avec moins de calories, ce qu'il faut éviter à tout prix (réf. 15, 16, 22).

Nourrir son corps

Il faut consommer au moins trois des quatre groupes alimentaires (les produits céréaliers, les fruits et légumes, les produits laitiers et les viandes et substituts) à chaque repas pour être en santé et ressentir la satiété (réf. 26, 59). Favorisez les aliments à valeur nutritive élevée (riches en fibres, sources de protéines et de glucides nutritifs, entre autres), en plus de respecter les portions suggérées (réf. 26). Évitez de bouder certains aliments ou de faire montre d'intransigeance, car cela peut vous jouer des tours.

Les collations sont aussi essentielles pendant le maintien. Elles évitent d'avoir une faim d'ogre aux repas et permettent par le fait même de manger plus lentement et d'apprécier davantage le contenu de l'assiette (réf. 22). Une collation nourrissante doit contenir au moins deux des quatre groupes alimentaires (réf. 26). Choisissez des glucides pour leur effet énergisant (soit les produits céréaliers ou les fruits) et des protéines pour leur effet coupe-faim (les produits laitiers ou les viandes et substituts). De plus, gardez l'habitude de vous mettre quelque chose sous la dent toutes les trois ou quatre heures. Nos participants étaient surpris de constater qu'il n'était pas nécessaire de s'affamer pour perdre du poids.

Survivre aux occasions spéciales

Que ce soit Noël, la Saint-Valentin, les réunions de famille ou les terrasses en été, les occasions ne manquent pas pour faire des excès. Plutôt que de vous enfermer à la maison ou de « jeter l'éponge » en vous disant que ça ne vaut pas la peine de faire attention, soyez prévoyant. Ayez des stratégies pour affronter ces événements et déterminez à l'avance ce que vous mangerez. Vous finirez peut-être par manger au-delà de votre faim, mais soyez conscient du risque que présentent ces occasions. Dites-vous plutôt qu'elles vous donnent l'opportunité d'apprendre à vous maîtriser. Vous pouvez profiter des occasions spéciales sans vous sentir coupable en étant raisonnable. Josée était souvent invitée par ses copines à prendre un verre et à partager un bon repas au restaurant. Au début, elle déclinait ces propositions, se disant qu'il valait mieux s'abstenir de toute activité avec bonne bouffe et alcool au menu ! Finalement, elle a pris son courage à deux mains : merci à la grande bouteille d'eau pétillante… et à sa volonté de fer !

LES SECRETS DE L'ENTRAÎNEMENT POUR MAINTENIR VOTRE POIDS

La préservation de votre mode de vie actif est tout aussi importante durant la période de maintien que pendant la phase de perte de poids (réf. 13, 14 et 63). L'activité physique peut, d'une part, « compenser » pour certains écarts alimentaires en brûlant les calories excédentaires qui, sinon, seraient emmagasinées sous forme de gras. D'autre part, la combinaison de l'exercice et d'une saine alimentation préserve la masse musculaire et favorise la dépense énergétique grâce à l'exercice et au métabolisme au repos (réf. 18). Tous ces avantages vous motiveront certainement à garder un mode de vie actif et à savourer le plaisir de bouger.

Bouger 30 minutes par jour pour vivre plus… et mieux !

Le Programme 10-4 vous a révélé l'importance de planifier vos séances d'entraînement quotidiennes. Bien que vous puissiez être tenté de ralentir le rythme imposé lors du programme, je vous incite à continuer de faire de l'exercice pendant au moins 30 minutes par jour (réf. 7). À moins d'avoir eu la piqûre et d'être accro à votre dose quotidienne d'exercice, ne vous fiez pas uniquement à votre envie de vous entraîner pour maintenir la cadence ! Je vous préviens que l'arrêt de l'exercice, ne serait-ce que pour une courte période, peut rapidement mener à l'abandon. En demeurant actif tous les jours, vous augmentez vos chances de garder votre zèle et de continuer à profiter des bienfaits de l'exercice. Vous pouvez sauter quelques journées, mais il faudra augmenter l'intensité ou rallonger la durée de vos séances. Une fréquence d'entraînement de trois ou quatre fois par semaine est raisonnable et vous assure le maintien d'une bonne condition physique.

Votre nouveau programme d'entraînement

Pour la phase de maintien, il vous faudra un nouveau programme d'entraînement. Différentes options s'offrent à vous ; vous pouvez reprendre le programme d'entraînement 10-4 et le refaire pendant un mois en modifiant la fréquence, l'intensité et la durée selon l'objectif de dépense calorique déterminé. L'avantage de cette option est que vous êtes déjà familiarisé avec les exercices proposés.

Vous pouvez aussi faire appel aux services d'un entraîneur personnel diplômé pour obtenir un suivi sur mesure. De plus, en vous inscrivant à un centre de conditionnement physique, vous aurez accès à un vaste choix d'équipements cardiovasculaires et musculaires pour varier votre routine d'exercices.

Vous songez peut-être à vous procurer un vélo stationnaire ou un tapis roulant pour la maison, ce qui vous permettrait de faire de l'exercice dans le confort de votre foyer. Peu importe votre choix d'appareil, souvenez-vous d'inclure des exercices cardiovasculaires et musculaires dans votre programme. Pour une condition physique optimale, le « cardio » ne doit pas aller sans la « muscu » (réf. 31) !

Les exercices de flexibilité améliorent, eux aussi, la forme physique en facilitant les gestes que vous faites au quotidien, en permettant une meilleure amplitude de mouvement et en favorisant une meilleure posture (réf. 64). Le yoga et le Pilates peuvent développer votre souplesse tout en tonifiant vos muscles (réf. 65 et 66). Ces exercices contribuent à « rééquilibrer » vos muscles et diminuent ainsi les tensions musculaires. Ce genre d'entraînement favorise non seulement la détente physique mais également la relaxation mentale (réf. 66). Que demander de mieux ? En intégrant des exercices de flexibilité dans votre nouveau programme d'entraînement, vous en constaterez les bienfaits et ne pourrez plus vous en passer.

Jouer des tours à son corps !

Le corps possède une surprenante capacité d'adaptation aux différents facteurs de stress. C'est un phénomène physiologique qui permet d'améliorer la condition physique. Toutefois, cette adaptation n'a lieu que lorsque l'intensité des entraînements progresse au fil du temps. Il faut comprendre que, dans des moments de *statu quo*, le corps ne perçoit pas la nécessité de s'adapter et plafonne. Il faut donc trouver de nouveaux défis physiques d'un mois à l'autre. D'ailleurs, les programmes d'entraînement prescrits par un entraîneur personnel couvrent généralement une période de quatre à six semaines. En modifiant régulièrement la nature de vos exercices, en essayant de nouvelles activités physiques, en augmentant la durée, la fréquence ou encore l'intensité de vos entraînements, comme utiliser des poids plus lourds pour les exercices musculaires ou en haussant votre fréquence cardiaque lors de vos entraînements cardiovasculaires, vous améliorerez significativement votre condition physique. Il n'y a pas de médaille d'or sans efforts !

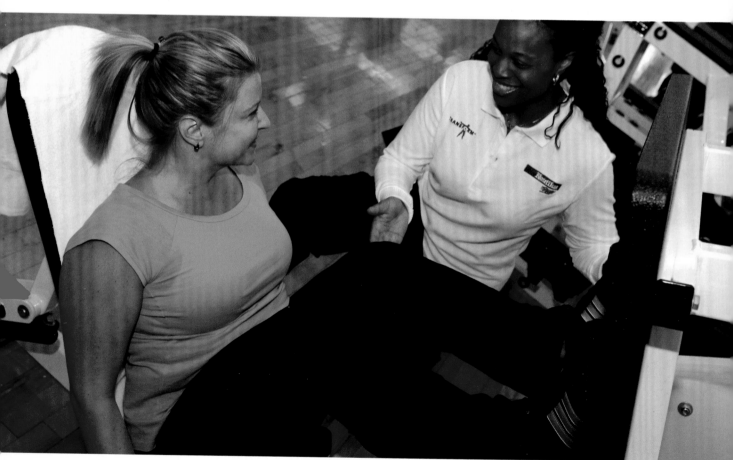

RAPPELS... EN UN CLIN D'ŒIL

Tenez un journal de bord

Vous savez ce qu'on dit : les paroles s'envolent, mais les écrits restent ! Il est sage de tenir un journal d'entraînement pour vous motiver à bouger au quotidien. C'est aussi une bonne idée de noter les aliments consommés dans une journée pour vous inciter à bien manger et décourager les écarts. Quelques coups de stylo et le tour est joué...

Gardez votre esprit occupé

Gardez en tête que c'est surtout lorsque vous vous ennuyez que vous risquez de faire fausse route. Il est utile de rédiger une liste d'activités pour vous garder occupé et éviter de penser aux bonbons et aux croustilles ! Utilisez cette liste lorsqu'un moment critique survient. Ces activités peuvent être de tout ordre : tâches ménagères, cours de danse, événements sportifs ou culturels dans votre municipalité, lecture, etc.

Faites place aux nouveautés

L'entraînement et la routine alimentaire, cela peut devenir monotone. Pour éviter d'avoir une impression de déjà-vu et de vous lasser du train-train quotidien, découvrez de nouveaux exercices et tentez de nouvelles recettes. La variété vous donnera la sensation de renaître. Essayez un nouveau cours d'aérobie, empruntez un livre de recettes à un ami ou achetez un aliment exotique à l'épicerie. Chaque jour apporte des découvertes !

Permettez-vous des gâteries

Le but n'est pas de devenir un automate qui se nourrit uniquement pour survivre et qui bouge par obligation ! Il faut continuer à profiter des bonheurs de la vie comme les activités de détente, les bons plats et les soirées entre amis. Rappelez-vous que le corps réussit à faire la moyenne cumulative des calories ingérées et des calories dépensées. Ce qui veut dire que vous pouvez vous gâter à l'occasion tout en gérant vos plaisirs.

Ne vous cherchez pas d'excuses

Vous avez eu la détermination de vous rendre là où vous êtes aujourd'hui. Afin de maintenir vos acquis, évitez de vous donner des excuses. Il peut être tentant de trouver un alibi pour sauter votre entraînement du jeudi soir ou de justifier une deuxième assiettée lorsque vous soupez chez votre mère. Cependant, ces prétextes risquent de vous ramener à la case départ ! L'idée d'être en forme et de bien se nourrir est certainement séduisante, mais ce rêve ne peut devenir réalité qu'avec de la persévérance. En faisant des activités physiques qui vous intéressent et en préparant des menus que vous aimez, il sera plus facile de tenir le coup sans opposer de « si » ou de « mais » !

Établissez vos plans de rechange

Dans un monde parfait, le respect de vos horaires d'entraînement et de repas se ferait sans anicroches. Mais vous savez qu'il y a de ces journées où vos projets sont chambardés et où vous n'arrivez pas à respecter votre plan de match. Plutôt que de déclarer forfait, établissez des solutions de rechange pour ces cas. Par exemple, si vous êtes dans l'impossibilité de vous rendre au gym, le plan B pourrait être d'utiliser des DVD d'exercices à la maison. Sur le plan alimentaire, l'idée de commander un repas chez le traiteur pour les soirées où vous n'avez pas envie de cuisiner est une excellente option. En fin de compte, il n'y a que des solutions si on s'organise de la bonne façon !

Recherchez des partenaires dans votre démarche

Vous avez trouvé la motivation pour enfiler vos chaussures de sport et confectionner vos plats pendant les vingt-huit jours du Programme 10-4. Entourez-vous d'alliés qui vous encourageront à continuer de vous entraîner et de bien manger. Le soutien d'un proche est

garant de votre assiduité. Il est plus facile de se rendre au gym accompagné, et il est aisé d'essayer des aliments nouveaux lorsque l'entourage le fait avec vous. L'union fait la force !

Profitez d'un encadrement professionnel

Pour vous assurer d'être bien supervisé dans la poursuite de votre objectif ultime, ayez recours aux services d'un entraîneur personnel et d'un nutritionniste. L'entraîneur personnel est un expert de la mise en forme qui vous motivera à vous dépasser. Le nutritionniste vous aidera à planifier vos repas et vos collations en plus de vous donner de nombreux outils pour parvenir à vos fins. Nos participants peuvent témoigner de cette valeur ajoutée, puisqu'ils ont été soutenus par nos spécialistes et leur ont fait confiance du début à la fin. Constatez les résultats !

Une bonne tape dans le dos

Notre expérience avec les participants et nos milliers de membres chez Nautilus Plus nous porte à croire qu'il faut récompenser les efforts. Il est utopique de penser que vous déploierez des efforts au jour le jour sans récompense ni « tape dans le dos » ! Prenez donc le temps de vous offrir une petite douceur simple et abordable… Qui n'aime pas se faire masser, observer un coucher de soleil, passer une soirée entre filles ou un week-end de pêche avec les gars ?

Nous avons célébré la victoire de nos participants en nous permettant une petite gâterie… le fameux pain d'épices du Programme 10-4 !

CONCLUSION

EN SUIVANT LES RECOMMANDATIONS DE CE LIVRE et en terminant le Programme 10-4, vous avez non seulement atteint vos objectifs de perte de poids, mais aussi découvert la sensation de bien-être procurée par une alimentation saine et une vie active. Vous avez également développé de nouvelles habitudes qui vous seront bénéfiques toute votre vie.

Vous aurez plus de facilité à maintenir votre poids et serez surpris de découvrir à quel point votre système immunitaire, désormais renforcé, luttera efficacement contre la maladie. De l'énergie, vous en aurez à revendre pour vaquer à vos activités quotidiennes et pratiquer vos loisirs préférés.

En refermant ce livre, vous aurez pris un nouveau départ. Il vous faudra maintenir les bonnes habitudes développées au cours des 4 dernières semaines et rester aux aguets. Ayant atteint votre objectif, vous conserverez le rythme de vie active auquel vous vous êtes accoutumé et qui est désormais indispensable pour vous sentir mieux.

Sur le plan de la nutrition, vous avez découvert que bien manger est meilleur pour la santé et meilleur au goût. À l'avenir, vous vous intéresserez davantage à la gastronomie et continuerez de privilégier la qualité plutôt que la quantité.

Ce que vous avez vécu au cours des 4 dernières semaines vous aidera à prendre les bonnes décisions et à poser les bons gestes au quotidien. Tirez profit de votre expérience avec le Programme 10-4 et honorez les engagements pris avec vous-même.

Bonne continuation!
KARINE LAROSE, M.Sc. Kin.

RÉFÉRENCES BIBLIOGRAPHIQUES

1. Amigo, I. et C. Fernández, « Effects of Diets and Their Role in Weight Control », *Psychol. Health Med.*, 2007, 12 (3), p. 321-327.
2. Aucott, L.S., « Influences of Weight Loss on Long-Term Diabetes Outcomes », *Proc. Nutr. Soc.*, 2008, 67 (1), p. 54-59.
3. Rector, R.S., J.R. Turk, G.Y. Sun, B.L. Guilford, B.W. Toedebusch, M.W. McClanahan et T.R. Thomas, « Short-Term Lifestyle Modification Alters Circulating Biomarkers of Endothelial Health in Sedentary, Overweight Adults », *Appl. Physiol. Nutr. Metabl.*, 2006, p. 512-517.
4. Diehl, J.J. et H. Choi, « Exercise: the Data on Its Role in Health, Mental Health, Disease Prevention, and Productivity », *Prim. Care.*, 2008, 35 (4), p. 803-816.
5. Statistique Canada, 2004, *Résultats de l'enquête sur la santé dans les collectivités canadiennes*, http://www.statcan.gc.ca (2010).
6. Anis, A.H., W. Zhang, N. Bansback, D.P. Guh, Z. Amarsi et C.L. Birmingham, « Obesity and Overweight in Canada: an Updated Cost-of-Illness Study », *Obes. Rev.*, 2009, 11 (1), p. 31-40.
7. Béliveau, R. et D. Gingras, *La Santé par le plaisir de bien manger*, Les Éditions du Trécarré, Montréal, 2009.
8. Healy, G.N., K. Wijndaela, D.W. Dunstan, J.E. Shaw, J. Salmon, P.Z. Zimmet et N. Owen, « Objectively Measured Sedentary Time, Physical Activity, and Metabolic Risk: the Australian Diabetes, Obesity and Lifestyle Study (AusDiab) », *Diabetes Care.*, 2008, 31 (2), p. 369-371.
9. Santé Canada, 2003, *Lignes directrices canadiennes pour la classification du poids chez les adultes*, www.hc-sc.gc.ca (2010).
10. Charansonney, O.L. et J.P. Després, « Disease Prevention: Should We Target Obesity or Sedentary Lifestyle ? », *Nat. Rev. Cardiol.*, 2010, 7 (8), p. 468-472.
11. Freedhoff, Y. et A.M. Sharma, « "Perdre 20 kilos en 4 semaines": la réglementation des programmes commerciaux d'amaigrissement s'impose », *CMAJ.*, 2009, 180 (4), p. 368.
12. Institut national de santé publique du Québec, *Bénéfices, risques et encadrement associés à l'utilisation des produits, services et moyens amaigrissants (PSMA)*, 2008.
13. Wadden, T.A., D.S. West, R.H. Neiberg, R.R. Wing, D.H. Ryan, K.C. Johnson, J.P. Foreyt, J.O. Hill, D.L. Trence et M.Z. Vitolins, « One-Year Weight Losses in the Look AHEAD Study: Factors Associated with Success », *Obesity* (Silver Spring), 2009, 17 (4), p. 713-722.
14. Wing, R.R. et S. Phelan, « Long-Term Weight Loss Maintenance », *Am. J. Clin. Nutr.*, 2005, 82 (1), p. 222-225.
15. Martin, C.K., L.K. Heilbronn, L. de Jonge, J.P. DeLany, J. Volaufova, S.D. Anton, L.M. Redman, S.R. Smith et E. Ravussin, « Effect of Calorie Restriction on Resting Metabolic Rate and Spontaneous Physical Activity », *Obesity* (Silver Spring), 2007, 15 (12), p. 2964-2973.
16. Kurpad, A.V., S. Muthayya et M. Vaz, « Consequence of Inadequate Food Energy and Negative Energy Balance in Humans », *Public Health Nutrition.*, 2005, 8 (7A), p. 1053-1076.
17. Stookey, J.D., F. Constant, B.M. Popkin et C.D. Gardner, « Drinking Water is Associated with Weight Loss in Overweight Dieting Women Independent of Diet and Activity », *Obesity* (Silver Spring), 2008, 16 (11), p. 2481-2488.
18. Dennis, E.A., A.L. Dengo, D.L. Comber, K.D. Flack, J. Savla, K.P. Davy et B.M. Davy, « Water Consumption Increases Weight Loss During a Hypocaloric Diet Intervention in Middle-Aged and Older Adults », *Obesity* (Silver Spring), 2010, 18 (2), p. 300-307.
19. De Luca, L.A. Jr., R.C. Vendramini, D.T. Pereira, D.A. Colombari, R.B. David, P.M. de Paula et J.V. Menani, « Water Deprivation and the Double-Depletion Hypothesis: Common Neural Mechanisms Underlie Thirst and Salt Appetite », *Braz. J. Med. Biol. Res.*, 2007, 40 (5), p. 707-712.
20. Lemmens, S.G., P.F. Schoffelen, L. Wouters, J.M. Born, M.J. Martens, F. Rutters et M.S. Westerterp-Plantenga, « Eating What You Like Induces a Stronger Decrease of "Wanting" to Eat », *Physiol. Behav.*, 2009, 98 (3), p. 318-325.
21. Remick, A.K., P. Pliner et K.C. McLean, « The Relationship Between Restrained Eating, Pleasure Associated with Eating, and Well-Being Re-Visited », *Eat Behav.*, 2009, 10 (1), p. 42-44.
22. Louis-Sylvestre, J., A. Lluch, F. Neant et J.E. Blundell, « Highlighting the Positive Impact of Increasing Feeding Frequency on Metabolism and Weight Management », *Forum Nutr.*, 2003, 56, p. 126-128.
23. Mahon, A.K., M.G. Flynn, H.B. Iglay, L.K. Stewart, C.A. Johnson, B.K. McFarlin et W.W. Campbell, « Measurement of Body Composition Changes with Weight Loss in Postmenopausal Women: Comparison of Methods », *J. Nutr. Health Aging*, 2007, 11 (3), p. 203-213.
24. Strain, J.W., J. Wang, M. Gagner, A. Pomp, W.B. Inabnet et S.B. Heymsfield, « Bioimpedance for Severe Obesity: Com-

paring Research Methods for Total Body Water and Resting Energy Expenditure », *Obesity* (Silver Spring), 2008, 16 (8), p. 1953-1956.

25. Santé Canada, 2004, *Apports nutritionnels de référence*, www.hc-sc.gc.ca (2010).

26. Santé Canada, 2007, *Bien manger avec le guide alimentaire canadien – Ressource à l'intention des éducateurs et communicateurs*, www.hc-sc.gc.ca (2010).

27. Rodriguez, N.R., N.M. DiMarco et S. Langley, « Position of the American Dietetic Association, Dietitians of Canada, and the American College of Sports Medicine: Nutrition and Athletic Performance », *J. Am. Diet. Assoc.*, 2009, 109 (3), p. 509-527.

28. Paulsen, G., R. Crameri, H.B. Benestad, J.G. Fjeld, L. Mørkrid, J. Hallén et T. Raastad, « Time Course of Leukocyte Accumulation in Human Muscle After Eccentric Exercise », *Med. Sci. Sports Exerc.*, 2010, 42 (1), p. 75-85.

29. Skurvydas, A., M. Brazaitis, S. Kamandulis et S. Sipaviciene, « Peripheral and Central Fatigue after Muscle-Damaging Exercise is Muscle Length Dependent and Inversely Related », *J. Electromyogr. Kinesiol.*, 2010, 20 (4), p. 655-660.

30. Judelson, D.A., C.M. Maresh, J.M. Anderson, L.E. Armstrong, D.J. Casa, W.J. Kraemer et J.S. Volek, « Hydration and Muscular Performance: Does Fluid Balance Affect Strength, Power and High-Intensity Endurance ? », *Sports Med.*, 2007, 37 (10), p. 907-921.

31. Oliver, S.J., R.J. Costa, S.J. Laing, J.L. Bilzon et N.P. Walsh, « One Night of Sleep Deprivation Decreases Treadmill Endurance Performance », *Eur. J. Appl. Physiol.*, 2009, 107 (2), p. 155-161.

32. Lima-Silva, A.E., F.R. De-Oliveira, F.Y. Nakamura et M.S. Gevaerd, « Effect of Carbohydrate Availability on Time to Exhaustion in Exercise Performed at Two Different Intensities », *Braz. J. Med. Biol. Res.*, 2009, 42 (5), p. 404-412.

33. Sillanpää, E., D.E. Laaksonen, A. Häkkinen, L. Karavirta, B. Jensen, W.J. Kraemer, K. Nyman et K. Häkkinen, « Body Composition, Fitness, and Metabolic Health during Strength and Endurance Training and Their Combination in Middle-Aged and Older Women », *Eur. J. Applied Physiology.*, 2009, 106 (2), p. 285-296.

34. Schmitz, K.H., P.J. Hannan, S.D. Stovitz, C.J. Bryan, M. Warren et M.D. Jensen, « Strength Training and Adiposity in Premenopausal Women: Strong, Healthy, and Empowered Study », *Am. J. Clin. Nutr.*, 2007, 86 (3), p. 566-572.

35. Zehnacker, C.H., et A. Bemis-Dougherty, « Effect of Weighted Exercises on Bone Mineral Density in Post Menopausal Women. A Systematic Review », *J. Geriatr. Phys. Ther.*, 2007, 30 (2), p. 79-88.

36. Santé Canada, 2003, *Informations sur l'étiquetage nutritionnel*, www.hc-sc.gc.ca (2010).

37. Herman, S.L. et D.T. Smith, « Four-Week Dynamic Stretching Warm-Up Intervention Elicits Longer-Term Performance Benefits », *J. Strength Cond. Res.*, 2008, 22 (4), p. 1286-1297.

38. Costa, P.B., B.S. Graves, M. Whitehurst et P.L. Jacobs, « The Acute Effects of Different Durations of Static Stretching on Dynamic Balance Performance », *J. Strength Cond. Res.*, 2009, 23 (1), p. 141-147.

39. Fondation des maladies du cœur du Canada, 2008, *Chronique sur les matières grasses, les huiles et le cholesterol*, www.fmcoeur.qc.ca (2010).

40. Baik, I., R.D. Abbott, J.D. Curb et C. Shin, « Intake of Fish and N-3 Fatty Acids and Future Risk of Metabolic Syndrome », *J. Am. Diet. Assoc.*, 2010, 110 (7), p. 1018-1026.

41. Trichopoulos, A., C. Bamia et D. Trichopoulos, « Anatomy of Health Effects of Mediterranean Diet: Greek EPIC Prospective Cohort Study », *BMJ*, 2009, 338, p. b2337.

42. De Luis, D.A., R. Conde, R. Aller, O. Izaola, M. González Sagrado, J.L. Perez Castrillón, A. Dueñas et E. Romero, « Effect of Omega-3 Fatty Acids on Cardiovascular Risk Factors in Patients with Type 2 Diabetes Mellitus and Hypertriglyceridemia: an Open Study », *Eur. Rev. Med. Pharmacol. Sci.*, 2009, 13 (1), p. 51-55.

43. Nakamura, Y., N. Okuda, T.C. Turin, A. Fujiyoshi, T. Okamura, T. Hayakawa, K. Yoshita, K. Miura et H. Ueshima, « Fatty Acids Intakes and Serum Lipid Profiles: NIPPON DATA90 and the National Nutrition Monitoring », *J. Epidemiol.*, 2010, 20 (Suppl. 3), p. S544-548.

44. Addicott, A.K., J.J. Gray et B.L. Todd, « Mood, Dietary Restraint, and Women's Smoking and Eating Urges », *Women Health.*, 2009, 49 (4), p. 310-320.

45. Munafò, M.R., K. Tilling et Y. Ben-Shlomo, « Smoking Status and Body Mass Index: A Longitudinal Study », *Nicotine Tob Res.*, 2009, 11 (6), p. 765-771.

46. Reas, D.L., J.F. Nygård et T. Sørensen, « Do Quitters Have Anything to Lose ? Changes in Body Mass Index for Daily, Never, and Former Smokers Over an 11-Year Period (1990-2001) », *Scand. J. Public Health.*, 2009, 37 (7), p. 774-777.

47. Parsons, A.C., M. Shraim, J. Inglis, P. Aveyard et P. Hajek, « Interventions for Preventing Weight Gain After Smoking Cessation », *Cochrane Database Syst. Rev.*, 2009, 1, p. CD006219.

48. Ritchie, K., I. Carrière, A. de Mendonca, F. Portet, J.F. Dartigues, O. Rouaud, P. Barberger-Gateau et M.L. Ancelin, « The Neuroprotective Effects of Caffeine: a Prospective Population Study (the Three City Study) », *Neurology*, 2007, 69 (6), p. 536-545.

49. Childs, E. et H. de Wit, « Enhanced Mood and Psychomotor Performance by a Caffeine-Containing Energy Capsule in Fatigued Individuals », *Exp. Clin. Psychopharmacol.*, 2008, 16 (1), p. 13-21.

50. Eskelinen, M.H. et M. Kivipelto, « Caffeine as a Protective Factor in Dementia and Alzheimer's Disease », *J. Alzheimer's Dis.*, 2010, 20 (Suppl. 1), p. S167-174.

51. Sääksjärvi, K., P. Knekt, H. Rissanen, M.A. Laaksonen, A. Reunanen et S. Männistö, « Prospective Study of Coffee Consumption and Risk of Parkinson's Disease », *Eur. J. Clin. Nutr.*, 2008, 62 (7), p. 908-915.

52. Higdon, J.V. et B. Frei, « Coffee and Health: A Review of Recent Human Research », *Crit. Rev. Food Sci. Nutr.*, 2006, 46 (2), p. 101-123.

53. Sin, C.W., J.S. Ho et J.W. Chung, « Systematic Review on the Effectiveness of Caffeine Abstinence on the Quality of Sleep », *J. Clin. Nurs.*, 2009, 18 (1), p. 13-21.

54. Santé Canada, 2010, *Mise à jour pour les Canadiens par rapport à la consommation de caféine*, www.hc-sc.gc.ca (2010).

55. Stiegler, P. et A. Cunliffe, « The Role of Diet and Exercise for the Maintenance of Fat-Free Mass and Resting Metabolic Rate During Weight Loss », *Sports Med.*, 2006, 36 (3), p. 239-262.

56. Redman, L.M., L.K. Heilbronn, C.K. Martin, L. de Jonge, D.A. Williamson, J.P. Delany et E. Ravussin, « Metabolic and Behavioral Compensations in Response to Caloric Restriction: Implications for the Maintenance of Weight Loss », *PLoS One*, 2009, 4 (2), p. e4377.

57. Clark, A., J. Franklin, I. Pratt et M. McGrice, « Overweight and Obesity – Use of Portion Control in Management », *Aust. Fam. Phys.*, 2010, 39 (6), p. 407-411.

58. Seagle, H.M., G.W. Strain, A. Makris et R.S. Reeves, « Position of the American Dietetic Association: Weight Management », *J. Am. Diet. Assoc.*, 2009, 109 (2), p. 330-346.

59. Guèvremont, G. et M.-C. Lortie, *Mangez !*, Les Éditions La Presse, Montréal, 2006.

60. Zheng, H. et H.R. Berthoud, « Eating for Pleasure or Calories », *Curr. Opin. Pharmacol.*, 2007, 7 (6), p. 607-612.

61. Martin, C.K., P.M. O'Neil et L. Pawlow, « Changes in Food Cravings During Low-Calorie and Very-Low-Calorie Diets », *Obesity* (Silver Spring), 2006, 14 (1), p. 115-121.

62. Fedoroff, I., J. Polivy et C.P. Herman, « The Specificity of Restrained Versus Unrestrained Eaters' Responses to Food Cues: General Desire to Eat, or Craving for the Cued Food ? », *Appetite*, 2003, 41 (1), p. 7-13.

63. Wang, X., M.F. Lyles, T. You, M.J. Berry, W.J. Rejeski et B.J. Nicklas, « Weight Regain Is Related to Decreases in Physical Activity During Weight Loss », *Med. Sci. Sports Exerc.*, 2008, 40 (10), p. 1781-1788.

64. Emery, K., S.J. De Serres, A. McMillan et J.N. Côté, « The Effects of a Pilates Training Program on Arm-Trunk Posture and Movement », *Clin. Biomech.*, 2010, 25 (2), p. 124-130.

65. Kloubec, J.A., « Pilates for Improvement of Muscle Endurance, Flexibility, Balance, and Posture », *J. Strength Cond. Res.*, 2010, 24 (3), p. 661-667.

66. Telles, S., V. Gaur et A. Balkrishna, « Effect of a Yoga Practice Session and a Yoga Theory Session on State Anxiety », *Percept. Mot. Skills*, 2009, 109 (3), p. 924-930.

67. Timmerman, G.M. et M. Earvolino-Ramirez, « Strategies for and Barriers to Managing Weight when Eating at Restaurants », *Prev. Chronic. Dis.*, 2010, 7 (3), p. A60.

68. Roberto, C.A., P.D. Larsen, H. Agnew, J. Baik et K.D. Brownell, « Evaluating the Impact of Menu Labeling on Food Choices and Intake », *Am. J. Public Health.*, 2010, 100 (2), p. 312-318.

69. Condrasky, M., J.H. Ledikwe, J.E. Flood et B.J. Rolls, « Chefs' Opinions of Restaurant Portion Sizes », *Obesity* (Silver Spring), 2007, 15 (8), p. 2086-2094.

70. Passeport Santé, 2007, Actualités – *Dossiers*, www.passeport-sante.net (2010).

71. Santé Canada, 2010, *Succédanés du sucre*, www.hc-sc.gc.ca (2010).

72. Lavin, JH., S.J. French et N.W. Read, « The Effect of Sucrose- and Aspartame-Sweetened Drinks on Energy Intake, Hunger and Food Choice of Female, Moderately Restrained Eaters », *Int. J. Obes. Relat. Metab. Disord.*, 1997, 21 (1), p. 37-42.

REMERCIEMENTS

Un merci spécial à Caroline Allen (Dt. P. Nutritionniste), pour ta précieuse contribution à la rédaction du contenu en nutrition et à la révision. Merci aussi pour ton suivi auprès des participants.

Merci à Claudine Robinson, traiteure, pour avoir concocté toutes les recettes. Je souligne sa grande implication dans ce programme.

À tous les candidats qui se sont engagés à terminer avec succès le Programme 10-4 : Georges Franco, Josée Garceau, Daniel Lafond, Pierre Lavoie, Véronique Lavoie et Camilla Lévesque. Merci pour votre sérieux ; vos accomplissements constitueront une précieuse source d'inspiration pour tous les lecteurs qui se lanceront dans ce programme à leur tour.

Un merci spécial à l'équipe d'entraîneurs personnels et de nutritionnistes de Nautilus Plus qui ont collaboré à l'encadrement étroit des candidats et à leur réussite : Karine Asselin-Demers (Repentigny), Jean-Philippe Boulanger (Blainville), Mélanie Decoste (Lasalle), Nicolas Doucet (Saint-Léonard), Régine Duplan (Mascouche), Joanie Lallier (Lasalle), Catherine Marcotte (Repentigny), Anick Milette (Chomedey), Lysanne Pédicelli (Saint-Léonard), Dominique Racine (Boisbriand), Stéphanie Sylvain (Terrebonne), Christina Timothéatos (Chomedey).

Merci à Richard Blais, pour tes conseils et suggestions, qui ont fait en sorte que cet ouvrage soit à la hauteur des standards de qualité de Nautilus Plus. Merci, encore une fois, de m'avoir confié un projet aussi stimulant malgré ma grossesse avancée ! Je suis flattée de cette marque de confiance.

Merci à Martin Lacharité, pour les précisions scientifiques apportées au texte.

Merci à l'équipe de Librex, particulièrement à Lison Lescarbeau et Julie Simard, pour vos encouragements continus, votre lecture minutieuse dans le but de rendre les textes encore plus agréables à lire. La compréhension dont vous avez fait preuve au moment de mon accouchement, alors que nous étions en plein processus de rédaction, a été grandement appréciée ! Quel plaisir de travailler avec une équipe si dynamique !

Merci, docteur Béliveau, d'avoir pris le temps d'écrire la préface malgré un emploi du temps surchargé.

INDEX

Au moment d'imprimer cet ouvrage,
le 7 janvier 2011,
et depuis le début de l'aventure 10-4
en juin 2010,
Josée a perdu 26 livres,
Daniel a perdu 48 livres,
Camilla a maintenu sa perte de poids de 10 livres,
Pierre a perdu 25 livres,
Véronique a perdu 19 livres
et Georges a perdu 30 livres.

Cet ouvrage a été composé en Kepler light 10/12
et achevé d'imprimer au Canada en janvier 2011 sur les presses de Solisco imprimeurs.